WALTER FARLEY

LA RÉVOLTE DE L'ÉTALON NOIR

TEXTE FRANÇAIS DE JEAN MURAY
ILLUSTRATIONS DE RAOUL AUGER

DU MÊME AUTEUR

dans la même collection :

L'ÉTALON NOIR
LE RETOUR DE L'ÉTALON NOIR
LE FILS DE L'ÉTALON NOIR
LE RANCH DE L'ÉTALON NOIR
SUR LES TRACES DE L'ÉTALON NOIR
FLAMME ET L'ÉTALON NOIR
L'EMPREINTE DE L'ÉTALON NOIR
UN RIVAL POUR L'ÉTALON NOIR
UNE CAVALIÈRE POUR L'ÉTALON NOIR
LE COURAGE DE L'ÉTALON NOIR
LE PRESTIGE DE L'ÉTALON NOIR

FLAMME CHEVAL SAUVAGE
FLAMME ET LES PUR-SANG
FLAMME PART EN FLÈCHE

L'ÉDITION ORIGINALE DE CE ROMAN A ÉTÉ
PUBLIÉE EN LANGUE ANGLAISE PAR RANDOM
HOUSE, NEW YORK, SOUS LE TITRE :

THE BLACK STALLION REVOLTS

Pour
ALICE PATRICIA

CHAPITRE PREMIER

LE SURVEILLANT

Napoléon, le vieux cheval gris, avait l'aspect d'un cheval de labour menacé d'embonpoint. Il ne devait pas sa rondeur à l'excès de nourriture ni au manque d'exercice, mais à son caractère placide et à certain don qu'il avait reçu de s'adapter sans peine à toutes les situations, à tous les modes de vie.

Vivante statue de la satisfaction, il était aussi

calme que la nuit de juin qui l'enveloppait. D'ailleurs, pourquoi en eût-il été autrement? Son existence lui procurait un bonheur complet.

Après être resté longtemps immobile, il se déplaça à pas lents dans son enclos. Il restait très difficile sur le choix de l'herbe. Sans hâte, il allait de touffe en touffe, en broutait une, puis une autre, cherchait les meilleures, les plus succulentes. Il ne tarda cependant pas à regagner sa place favorite, sous un chêne dont la brise nocturne agitait le feuillage. Et il reprit sa longue veille.

Tout était tranquille, comme il se devait. A la lueur des étoiles, Napoléon apercevait, dans l'enclos situé sur sa gauche, la silhouette mouvante de Black, l'étalon noir, et il entendit celui-ci trancher l'herbe d'un coup sec, au ras du sol.

Il savait qu'un autre étalon, Satan, occupait l'enclos situé sur sa droite. Peu auparavant, il avait dressé l'oreille en captant l'un de ses hennissements étouffés.

Quelle existence agréable! Durant le jour, une écurie confortable qui vous protégeait de la chaleur et des mouches. Pendant la nuit, la liberté d'aller et venir chacun dans son enclos. Cela faisait maintenant plusieurs semaines que les chevaux vivaient au ranch de l'Espoir [1], et, si la paix continuait à

1. Voir, dans la même collection, *Le Ranch de l'Étalon Noir*

régner entre eux, il n'y avait pas de raison pour que la situation présente fût modifiée. Le vieux cheval gris le savait. Il possédait une si longue expérience de ces choses...

Par exemple, il savait pourquoi on l'avait placé entre Black et Satan : pour maintenir une certaine harmonie entre les deux étalons. Et, à la seule pensée qu'on lui confiait encore — à son âge ! — cette tâche de surveillant, il éprouvait autant de fierté que de bien-être. Comme il se sentait gagné par le sommeil, il souleva ses paupières, mesura du regard les clôtures et, ayant une fois de plus constaté qu'elles étaient trop hautes pour qu'un cheval, quel qu'il fût, les franchît, il se rassura et crut pouvoir céder au sommeil.

Il fut réveillé par le bruit d'un vent violent. Le ciel s'était assombri. Des nuages voilaient la lune. Que faire ? Napoléon décida de rester sous son chêne et d'attendre que le vent tombât. Si, au contraire, une tempête éclatait, il était sûr que les fenêtres du ranch s'éclaireraient et que, peu après, on les conduirait — Black, Satan et lui-même — à leurs écuries.

Ce furent le vent et l'obscurité qui le détournèrent de prêter attention aux mouvements de Black. Pendant longtemps, celui-ci avait, d'un sabot léger et prudent, trotté le long de sa palissade. Seuls ses yeux reflétaient sa nervosité. Grâce à l'épaisseur de l'herbe, il se déplaçait en silence. Il aurait pu lancer, par un hennissement claironnant, un défi à l'autre étalon, aussi noir que lui-même, qui occupait le troisième enclos. Mais il s'en gardait bien! Le moment n'était pas encore venu...

Black s'arrêta pour mesurer la hauteur de la palissade et constata qu'il pouvait à peine, bien que ses membres fussent d'une longueur exceptionnelle, toucher de la tête la planche supérieure. Il trotta jusqu'à l'endroit où son enclos, face aux écuries, formait un angle. Là, de l'épaule, il pesa sur la planche médiane. Au premier craquement, il s'arrêta, recula, examina la planche, comme s'il réfléchissait avant de se décider. Ses yeux jetaient des éclairs.

Il plia les genoux, se coucha, s'appuya de tout son poids contre la planche du bas. Comprenant que, par ce moyen, elle ne céderait pas, il s'en éloigna en roulant sur lui-même et, dès qu'il fut sur le dos, il se mit à la frapper en cadence avec ses membres postérieurs. En quelques secondes, elle se fendit, puis s'abattit, entraînant dans sa chute les planches du milieu et celles du haut.

Black était libre!

Il se redressa avec une promptitude stupéfiante. Brusquement, il était redevenu un cheval sauvage, aux muscles gonflés, aux naseaux frémissants, un étalon enflammé du désir de combattre un autre animal de son espèce. Un instant, il resta immobile, ses yeux étincelants braqués, au-delà de l'enclos de Napoléon, sur la palissade derrière laquelle il savait que Satan l'attendait.

Il poussa son habituel hennissement de défi, puis franchit la brèche qu'il venait de pratiquer et s'élança sur l'allée boueuse longeant les enclos.

A ce moment seulement, Napoléon comprit ce qui se passait à quelques mètres de lui. Il fonça vers sa propre palissade, la heurta du front, sans le moindre espoir, naturellement, de la défoncer. Que pouvait-il faire d'autre que de donner l'alerte ? Il s'y employa de toute la force de ses poumons. Peine perdue. Pas une fenêtre du ranch ne s'éclaira.

Pendant ce temps, Black avait tourné à gauche et galopait dans le couloir séparant l'enclos de Napoléon de celui de Satan. On avait pris maintes précautions pour que les étalons fussent tenus à l'écart l'un de l'autre. Le couloir était large, les palissades élevées. Black essaya de fracasser l'enclos de Satan, par les mêmes procédés qui lui avaient si bien réussi avec le sien. Il se jetait sur les planches ou se retournait pour leur allonger des ruades qui auraient dû les défoncer. Mais elles tenaient bon.

Le grand étalon noir reculait, grattait le sol avec ses antérieurs, secouait sa crinière magnifique.

Sans doute à la recherche d'un point faible, il se mit à trotter autour du rectangle de la palissade. Soudain, il constata qu'il gravissait une pente assez faible, longue de quelques mètres seulement. Au bas de cette pente se trouvait la porte de l'enclos. Dès qu'il eut atteint le sommet de la pente, Black s'arrêta, pivota sur lui-même, mesura du regard la distance qui le séparait de l'enclos et, au-delà des planches, vit Satan. Celui-ci leva la tête, l'aperçut à son tour, le salua d'un hennissement strident.

Black avait maintenant un plan précis. Il recula un peu, se ramassa sur lui-même, se détendit et, d'un bond prodigieux, franchit la palissade. L'un de ses sabots, sans toutefois le déséquilibrer, frôla la planche supérieure. Il atterrit à l'intérieur de l'enclos et fonça à la rencontre de son ennemi...

... puis il s'arrêta, avec tant de soudaineté qu'il plongea en avant.

Il venait de se souvenir d'une tactique qui lui avait souvent permis de triompher dans ses combats contre des étalons. Certes, ses oreilles étaient couchées sur son crâne et ses yeux flamboyaient de haine. Mais il avait choisi la ruse et, lorsqu'il se remit en mouvement, ce fut pour décrire des cercles

autour de son adversaire, d'un pas large et cir-
conspect.

Satan montrait des prunelles agrandies par la
peur, et aussi par la colère. Bien qu'il ne désirât pas
se battre, il ne bronchait pas, gardait une attitude
résolue. Moins grand que Black, il paraissait aussi
plus lourd que lui, avec une encolure assez courte,
la tête plutôt forte. Cependant, il donnait la même
impression de beauté et de puissance. De plus, il
avait hérité de Black, qui était en réalité son
père, une vitesse foudroyante qui lui avait permis

1. Voir, dans la même collection, *Le Fils de l'Etalon Noir*.

de s'illustrer plusieurs fois sur les hippodromes.

Petit à petit, sans perdre Black de vue, il se mit à l'accompagner dans ses évolutions circulaires. En même temps, les deux étalons échangeaient des hennissements de menace. Satan savait qu'il allait devoir se battre. Il était prêt.

Néanmoins, quand l'attaque se déclencha, rapide comme la foudre, Satan eut à peine le temps de se dresser sur ses membres postérieurs pour résister à l'assaut de Black. Et ces deux superbes animaux déchaînés entamèrent un combat qui ne pouvait se terminer que par la mort de l'un ou de l'autre.

La première fenêtre qui s'éclaira était située au-dessus de l'écurie des juments, immédiatement après la maison principale. Quelques secondes plus tard, la porte s'ouvrit, et un homme en pyjama, trapu, d'assez petite taille, le visage aussi blanc que ses cheveux ébouriffés, s'élança, coudes au corps. A mesure qu'il accentuait l'allure, ses jambes arquées donnaient l'impression de tourner comme des roues. Il perdit une pantoufle. D'un coup de pied, il se débarrassa de l'autre. Il ne s'arrêta que devant la maison principale, et seulement un instant. Les mains en porte-voix, il hurla vers une fenêtre ouverte située au premier étage :

« Alec! Alec! Alec! »

Ignorant si on l'avait entendu, car les hurlements du vent rivalisaient avec les siens, il se remit à courir. Il avait vu Black franchir la palissade et atterrir devant Satan. Il savait à quoi s'en tenir sur les intentions de l'étalon noir.

Il se précipita vers l'une des écuries, décrocha une cravache, saisit une fourche. Puis il revint vers l'enclos, en ouvrit la porte et bondit vers les deux énormes corps noirs qui, debout face à face, semblaient enlacés dans une étreinte mortelle.

Soudain, les deux étalons perdirent l'équilibre, s'abattirent sur le sol. L'homme se jeta vers eux, sa fourche en avant, pour essayer de les séparer. Il arrivait trop tard! Déjà, les étalons s'étaient relevés et, debout, l'encolure tendue, les dents découvertes, ils essayaient de s'infliger de cruelles morsures.

L'homme tournait autour d'eux. Mais, avec ses armes dérisoires, comment aurait-il pu intervenir dans ce combat de géants? Il se disait : « Si je ne réussis pas à les séparer, ce sera bientôt trop tard. Ils cherchent à s'atteindre aux veines jugulaires. Bien sûr, si je n'avais affaire qu'à Satan, je parviendrais sans doute, avec un peu de chance, à le maîtriser. Avec Black, tout se complique. Comme toujours, il est décidé à aller jusqu'au bout. S'il le peut, il tuera! »

Pour la deuxième fois, les étalons perdirent

l'équilibre, s'écroulèrent. Mais, avant de tomber. Black eut le temps de décocher de biais une ruade formidable à Satan. Ce dernier était souple, habile. D'une torsion, il esquiva la ruade et se redressa avec agilité. Néanmoins, les sabots de Black le frôlèrent. Cela suffit à lui faire perdre l'équilibre une troisième fois et à l'envoyer rouler au sol.

Black, lui aussi, s'était redressé. Pour ne pas lui donner le temps de s'abattre sur Satan, l'homme se précipita dans sa direction, leva sa cravache et lui cingla la croupe avec violence. Black tressaillit, se retourna, découvrit l'homme, l'attaqua.

Celui-ci voulut reculer, trébucha, se retrouva assis dans l'herbe. Il n'eut d'autre recours, pour ne pas être piétiné, que d'utiliser sa fourche. Devant les trois dents acérées, Black s'arrêta, fit même un pas en arrière. « Je l'ai échappé belle, pensa l'homme. Maintenant, ce qu'il faudrait, c'est que Satan sorte de l'enclos... »

A ce moment, son vœu fut exaucé. Satan, qui venait de se relever, trottait vers la porte restée ouverte, disparaissait. Tout de suite après, une silhouette, elle aussi en pyjama, se dessina dans l'encadrement. Alec Ramsay! Sans cesser de menacer Black de sa fourche, l'homme cria :

« Alec! Alec! »

Le jeune garçon ne fit que quelques pas à l'intérieur de l'enclos. Lorsqu'il fut certain que les prunelles dilatées et folles de Black s'étaient rivées aux siennes, il reprit sa marche en avant. Ses pieds nus ne produisaient pas le moindre bruit.

L'homme, dont la colère et la crainte décomposaient les traits, cria de plus belle :

« Alec, prends cette cravache! Et, s'il le faut, n'hésite pas à t'en servir! »

Sans détacher son regard de celui de Black, Alec répondit :

« Non, Henry. Pas de cravache. Si je le frappais, Black me tuerait. Et c'est bien ce qui a failli vous arriver! »

Il continua de s'avancer, mais cette fois en parlant à l'étalon noir, d'une voix douce, basse, à l'intonation égale, sans esquisser un geste. Parfois, il interrompait son monologue pour donner un ordre bref, étouffé. Enfin, posément, il allongea la main droite, glissa ses doigts dans la bride. Les yeux plus étincelants que jamais, Black recula en frémissant de la tête à la croupe.

Mais Alec était résolu à ne pas le lâcher. Il adressa à Henry Dailey, le vieil entraîneur, un signe qui signifiait :

« N'attendez pas votre reste. Filez! »

Tandis qu'Henry s'esquivait, le jeune garçon conduisit l'étalon noir vers le fond de l'enclos. De sa main libre, il le flattait, lui parlait presque à l'oreille de la même voix douce, persuasive. Black mettait déjà moins de fougue à tenter de se dégager. Les grondements assourdis qui roulaient dans sa gorge, et ses hennissements plus rares, indiquaient que sa colère meurtrière commençait à décroître.

Alec savait qu'il n'allait pas tarder à se calmer et qu'il se laisserait bientôt conduire à l'écurie.

Plusieurs minutes encore, il le fit longer la palissade. En même temps, il réfléchissait : « Pourquoi a-t-il eu brusquement l'idée d'attaquer Satan ? Voilà des mois qu'il ne m'avait pas causé le moindre ennui. Comment expliquer cette flambée, cette soudaine envie de se battre et de tuer? Et que pouvons-nous y faire, Henry et moi? »

CHAPITRE II

LA RÉVOLTE !

Alec se tenait à la porte de l'écurie. Il entendait Black piétiner la paille de sa litière et se déplacer en tous sens. Il savait que l'étalon noir était presque revenu au calme, que son corps avait cessé de frémir et ses yeux de lancer des éclairs. Mais il savait aussi que le magnifique animal restait la proie d'un instinct féroce qui pouvait se rallumer à n'importe quel moment et le rendrait redoutable jusqu'à son dernier jour.

Le jeune garçon se retourna et vit Henry Dailey qui, à vingt mètres de là, dans l'enclos où avait failli se dérouler un drame, caressait Satan, s'assurait qu'il n'était pas blessé, lui parlait avec douceur. Certes, Henry aimait ce fils de Black. Il l'avait élevé, entraîné, conduit déjà plusieurs fois à la victoire. Comment n'aurait-il pas éprouvé pour lui un attachement profond?

Au bout de quelques minutes, Henry quitta Satan et revint vers les écuries. Quand il se trouva face à face avec Alec, il lui dit d'un ton irrité :

« Tu te rends compte de ce qui aurait pu se produire... de ce qui aurait pu arriver à Satan?

— Et à vous! ajouta Alec. Oui, oui, Henry, je me rends compte...

— Alors, pourquoi prends-tu les choses si calmement? Ma parole, on jurerait que tout cela te laisse parfaitement froid!

— Vous vous trompez, Henry. Je suis au contraire très ému. Mais j'estime qu'il ne sert à rien de crier.

— Moi, ça me fait du bien ! » beugla le vieil entraîneur.

Il s'éloigna de trois ou quatre pas. Puis, se ravisant, il revint se planter devant le jeune garçon :

« Si nous n'y mettons bon ordre, Black nous tuera tous! Mais peut-être as-tu une solution? Dans ce cas, je t'écoute! »

Ces derniers mots avaient été prononcés avec un ricanement. Alec garda le silence. « Il faut que je comprenne Henry comme je comprends Black, songeait-il. Je n'arriverai à rien si j'essaie de briser leurs volontés. Si je veux convaincre, il n'y a pas d'autre moyen que la persuasion... »

Durant presque une minute, le jeune garçon et l'entraîneur tendirent l'oreille aux sifflements du vent. A la fin, Alec demanda :

« Henry, quelle est l'origine de Black?

— Que veux-tu dire?

— Black a vu le jour en Arabie. Il a vécu long-temps en plein désert...

— Mais je sais tout cela, Alec!

— Je pensais que vous l'aviez peut-être oublié...

— Oublié! Pour qui me prends-tu, Alec? Satan lui aussi est né en Arabie.

— Exact. Il y a cependant, entre lui et Black, une différence notable. Satan était encore un tout jeune poulain quand il est arrivé aux Etats-Unis. Black, lui, était déjà un étalon adulte. Jamais nous n'avons pu le briser, le civiliser. Il ne faut pas oublier que, pendant des années, il a trotté et galopé à sa guise dans le désert et que...

— Mais, Alec, répéta le vieil entraîneur, je sais tout cela! Je sais aussi que Black t'appartient en propre, que tu as su en tirer le meilleur parti. Mais, moi, je ne suis pas resté inactif. J'ai fait de Satan un champion du monde. Et, grâce à l'argent que nous avons ainsi gagné, nous avons pu acheter le ranch où nous sommes installés aujourd'hui, l'un des plus beaux de la région. Toi et moi, nous pouvons dorénavant... »

Brusquement, Henry Dailey s'arrêta, se mordit la lèvre inférieure.

« Tout cela n'a rien à voir avec ce qui s'est passé cette nuit, n'est-ce pas?

— Il est toujours utile d'évoquer des souvenirs, de remonter à la source. On comprend mieux certaines choses. En particulier, l'origine de Black et la façon dont il a passé ses premières années expliquent clairement, me semble-t-il, pourquoi il a attaqué Satan.

— Très intéressant, Alec, fit Henry Dailey. Mais, si nous devons bavarder longtemps encore, autant nous installer au bureau. »

Ils éteignirent les lampes électriques qui éclairaient les écuries, puis se dirigèrent vers le bureau. Là, Henry s'assit dans le fauteuil placé derrière la table qu'il utilisait pour sa correspondance et ses comptes. Alec s'installa à califourchon sur une chaise.

Ils ne tardèrent pas à tomber d'accord. Dans l'incident très grave qui avait éclaté une demi-heure auparavant et qui aurait pu se terminer en catastrophe, ils avaient la même responsabilité.

« Nous aurions dû nous méfier, être sur nos gardes, disait Henry. Nous savons pourtant bien ce dont il est capable !

— Sans doute. Mais nous avons fini par l'oublier. Les semaines, les mois ont passé. Il ne nous faisait pas d'ennuis. Il semblait s'habituer à vivre tranquillement dans un ranch. Puis, cette nuit, sans crier gare...

— Je ne vois que deux solutions, déclara Henry. Le laisser vivre en permanence sur un pâturage lointain ou le garder à l'écurie la plupart du temps. »

Sur le moment, Alec ne répondit pas. Il s'était tourné vers la fenêtre. Là-bas, l'horizon commençait à s'éclaircir. Bientôt, ce serait le jour. Ce serait aussi le retour des travaux qui assuraient la bonne marche d'un ranch et se prolongeaient, avec la régularité d'un emploi du temps immuable, de l'aube au crépuscule.

Le jeune garçon songeait : « Si Black était un

homme, il trouverait peut-être monotone cet emploi
du temps... Mais oui, c'est cela, il s'ennuie! Il a
besoin de quelque chose qui ressemble à ce qu'il a
connu là-bas, dans le désert d'Arabie. En un mot,
il a besoin de liberté! »

Alec se retourna vers le vieil entraîneur.

« Henry...

— Quoi?

— Je crois avoir trouvé une autre solution... la
meilleure...

— C'est-à-dire?

— Black est comme tous les êtres vivants. Il a
besoin de liberté. »

Henry éclata de rire.

« Tu plaisantes? Si je comprends bien, tu veux
le laisser aller et venir à sa guise?

— Exactement.

— Quoi? Dans les environs? Tu l'imagines rôdant
à droite et à gauche, traversant villes et villages,
allant même peut-être jusqu'à New York pour
humer le bon air des hippodromes?

— Maintenant, Henry, c'est vous qui plaisantez.

— Alors, explique-toi. Je t'écoute.

— Si nous le gardons ici, nous n'aurons plus une
seconde de tranquillité. Si nous lui donnons la possibilité d'aller et venir à sa guise, comme vous dites,

bref de redevenir lui-même, il nous reviendra plus calme et aussi moins dangereux.

— Tu dis : « Il nous reviendra. » Où as-tu l'intention de l'envoyer?

— Chez Bill Gallon, dans le sud de la Californie.

— Au ranch du Désert? D'abord, c'est à l'autre bout des Etats-Unis. Et puis pourquoi ce choix?

— Parce que Bill Gallon possède des centaines et des centaines d'hectares de terres en friche et de pâturages parfaitement irrigués. Tout cela clos de palissades. Black aurait l'impression de se retrouver dans son pays. Et c'est là, me semble-t-il, ce qu'il lui faut en ce moment. Croyez-vous, Henry, que Bill accepterait de lui donner l'hospitalité pendant un ou deux mois?

— J'en suis sûr. Bill est l'un de mes meilleurs amis. Et tu estimes que ce... traitement sera suffisant pour Black?

— J'en suis persuadé.

— Tu l'accompagneras? Black est ton cheval. Il t'appartient.

— Je le conduirai là-bas. Et je reviendrai quand je serai certain que tout est en ordre.

— Pourquoi ne pas rester avec lui?

— Vous le savez bien, Henry.

— Parce que tu estimes que tu n'as pas le droit d'abandonner ton travail ici? »

Alec fit « oui » de la tête. Henry se léva. contourna la table, prit le jeune garçon par le bras.

« Tu es ridicule! Personne n'est indispensable. Allons, c'est décidé. Tu pars avec Black et tu restes avec lui jusqu'à son retour. Maintenant, allons nous habiller. Il n'est plus question de dormir. Il fera jour dans cinq minutes. »

Comme ils quittaient ensemble le bureau, Alec demanda :

« Je voudrais que vous téléphoniez dès aujourd'hui à Bill Gallon. Est-ce possible?

— Bien sûr. Quand veux-tu partir?

— Dès que nous aurons pu louer un avion.

— Tu as raison. Il n'y a pas de temps à perdre... surtout après ce qui s'est passé cette nuit. »

Le vieil entraîneur se dirigea vers sa chambre. Alec, au moment d'entrer dans la sienne, se ravisa. Il venait d'entendre le hennissement familier de Black. Alors, il revint sur ses pas, se dirigea vers les écuries.

« Je vais lui annoncer la nouvelle, se disait-il. Il me comprendra sûrement. Nous nous sommes toujours si bien compris, lui et moi! »

CHAPITRE III

FUREUR EN PLEIN CIEL!

DEUX jours plus tard, Alec et Black étaient installés, assez à l'étroit, dans un avion spécialement équipé pour le transport des chevaux. Sur les
appareils de ce genre, le plancher est abaissé, ce
qui augmente considérablement la hauteur du pla-
fond. Black se tenait attaché entre les bat-flanc
d'une stalle. Au moment de l'embarquement, il
s'était montré d'une docilité exemplaire. Mainte-

nant, il s'amusait à mâchonner les brins de foin
qui dépassaient d'un sac suspendu devant lui et
tenant lieu de râtelier.

Tout en le regardant, Henry Dailey murmura :

« Les voyages en avion, très peu pour moi... tant
qu'on n'aura pas trouvé un moyen d'attacher les
chevaux plus solidement que ça...

— Il est aussi bien attaché que possible, protesta
Alec. Bien sûr, il peut bouger. Je crois que c'est
nécessaire. Je serais inquiet s'il ne pouvait faire le
moindre mouvement.

— Tu as sans doute raison, Alec. En tout cas,
bonnes vacances là-bas. Transmets mon meilleur
souvenir à Bill et dis-lui que j'irai le voir un de
ces jours.

— Promis, Henry. »

Le pilote et le copilote pénétrèrent dans l'appareil.

« Quand vous voudrez partir..., dit le pilote. Nous
sommes prêts. »

Henry tapa sur l'épaule d'Alec.

« A bientôt. »

Alec l'accompagna jusqu'au sommet de la
rampe.

« Demain matin, nous serons arrivés.

— Sans doute. Mais je te conseille de ne pas
perdre de vue Black un seul instant.

— Rassurez-vous. Il sera sage comme une image, j'en suis certain. Vous savez, ce n'est pas la première fois qu'il voyage de cette façon. »

Henry descendit la rampe et aida le copilote à la rabattre contre l'appareil. Le pilote s'installa dans le cockpit, tandis que le copilote fermait la porte de la carlingue.

Alec s'approcha de Black en pensant : « Il faut que je sois près de lui au moment du décollage. »

Le copilote avait fini de fermer la porte. Il demanda à Alec :

« Vous croyez que tout ira bien?

— Sans aucun doute », répondit le jeune garçon.

Le copilote regardait l'étalon :

« Voilà donc le célèbre Black! Il y a quelques années, à Chicago, je l'ai vu battre Cyclone et Sun Raider. Quelle course! Je ne l'oublierai jamais.

— Moi non plus, assura Alec.

— Si je suis bien renseigné, c'est après cette course que vous avez cessé de le monter, n'est-ce pas?

— En effet. »

Une minute plus tard, l'appareil commença de rouler sur la piste. Black, surpris, eut quelque mal à garder son équilibre.

« Ce n'est rien, lui dit Alec en le caressant. Reste calme. »

Soudain. l'appareil s'arrêta. Le copilote passa la tête par la porte du cockpit.

« Je ne sais pas ce qui se passe. Votre ami hurle quelque chose. Il m'a semblé comprendre qu'il réclame les clefs du van. »

Alec palpa ses poches. Bien sûr, il avait oublié de remettre à Henry les clefs du van et aussi les papiers de tous les véhicules du ranch! Il prit, dans la poche intérieure de son veston, son portefeuille, en retira l'argent, y glissa les clefs, le tendit au copilote en lui disant :

« Jetez-le-lui. Vous préciserez que les papiers des voitures sont à l'intérieur et vous lui demanderez de me le renvoyer plus tard par la poste. »

Quand l'appareil reprit sa course, Alec, par l'un des hublots, aperçut Henry qui se trouvait déjà à plusieurs centaines de mètres et agitait la main en signe d'adieu.

Puis, à l'extrémité de la piste, l'avion s'arrêta pour la deuxième fois. Après avoir ronronné pendant plusieurs minutes, les moteurs donnèrent toute leur puissance. De bruyantes vibrations secouèrent l'appareil. Black hennit, tira sur ses cordes. Alec revint près de lui, lui parla, tenta de l'apaiser. Enfin, après un demi-tour et une course de plus en plus rapide sur la piste, ce fut le décollage.

Les vibrations diminuèrent, ainsi que le ronfle-ment des moteurs. Alec n'avait plus rien à faire que de s'occuper de l'étalon noir. Au reste, celui-ci, après avoir montré quelque nervosité au départ, semblait calmé. Il s'amusait à tirer des brins de foin du sac qui se balançait devant lui, et il les mâchonnait avec autant de plaisir que s'il se trou-vait encore dans son écurie, au ranch de l'Espoir.

Pendant plusieurs heures, l'avion parut lancé à la poursuite du soleil.

Le pilote se posa à Chicago, refit le plein. Lors-qu'il reprit l'air, le soleil était couché, la nuit déjà sombre. L'escale avait été assez longue. Alec ne voulut cependant pas quitter Black un seul instant. Il lui donna un peu d'avoine et un peu d'eau, rien de plus.

Des heures et des heures s'écoulèrent, tandis que se poursuivait le voyage vers l'Ouest des Etats-Unis. Black avait fermé les yeux. Alec s'assit à un mètre de lui, sur un tabouret. A son tour, il ferma les yeux, essaya de dormir. Sans doute céda-t-il au sommeil. Mais pendant combien de temps? Il fut brusquement réveillé par une secousse de l'appareil qui faillit le jeter sur le sol. Black luttait pour gar-der son équilibre. L'appareil se redressa, reprit sa marche régulière... et fit de nouveau une sorte de saut de mouton. Alec s'approcha de l'étalon noir. A ce moment, la porte du cockpit s'ouvrit. C'était le pilote.

« Sur notre gauche, expliqua-t-il, il y a un orage. Nous nous efforçons de le contourner. Pour cela, il a fallu modifier le cap, monter plus au nord.

— Où sommes-nous? demanda Alec.

— Nous survolons l'Ouest du Nebraska. Je ne crois pas que la situation atmosphérique s'aggrave. Je vous conseille toutefois de nous rejoindre dans le cockpit. Il y a un siège pour vous et une ceinture de sécurité.

— Je préfère rester près de Black, dit le jeune garçon.

— Il ne vous fait pas d'ennuis?

— Non. Il est seulement un peu nerveux. »

Le pilote regagna le cockpit. Pendant plus d'une heure, l'appareil continua de faire des sauts de mouton. Black n'aimait pas ça. Il devait sans cesse lutter pour ne pas perdre l'équilibre. Ses prunelles étaient dilatées, étincelantes.

Alec éprouvait une inquiétude croissante. Il nota que les oreilles de l'étalon noir étaient agitées d'un tressaillement incessant, que la sueur ruisselait le long de sa tête jusqu'à ses naseaux. Il lui jeta sur le dos deux couvertures. Sachant que Black était sensible par-dessus tout à sa voix, il se remit à lui parler.

Alec passa dans le cockpit.

A la fin, l'étalon noir cessa de tirer sur ses cordes à chaque soubresaut de l'appareil, et il resta immobile, les jambes écartées, les yeux fixés sur Alec.

Le pilote rouvrit la porte du cockpit.

« Je suis désolé. Je ne croyais pas que ce serait aussi dur. Mais c'est presque fini. Et Black, comment se comporte-t-il?

— Assez mal tout à l'heure. Maintenant, ça va mieux. Où sommes-nous?

— Nous survolons l'Ouest du Wyoming. Les montagnes Rocheuses sont juste devant nous. Dès que vous aurez un instant, venez dans le cockpit. Vous pourrez admirer le paysage. C'est tourmenté, sauvage, splendide. »

Peu après, Alec sentit que l'appareil prenait de la hauteur. Le voyage se poursuivit sans à-coups. Le ronflement des moteurs était redevenu régulier, harmonieux. Black semblait complètement calmé. Alec lui enleva ses couvertures, l'essuya de la tête aux jambes avec une serviette, lui remit ses couvertures. Et, pensant qu'il avait peut-être soif, il lui apporta dans un seau un peu d'eau qu'il avait puisée au bidon de quarante litres placé à l'un des angles de la carlingue. Ce bidon, c'était lui qui l'avait déposé à cet endroit, avec l'aide d'Henry naturellement. Auparavant, il avait bu lui-même une gorgée d'eau, pour s'assurer qu'elle était tiède.

Rien de froid ne devait pénétrer dans l'estomac de Black, du moins pour le moment.

Une fois encore, la porte du cockpit s'ouvrit. C'était le copilote.

« Le pilote voudrait vous montrer le paysage. Venez.

— C'est très aimable à lui, dit Alec. Mais je ne veux pas laisser Black seul. »

Le copilote s'avança.

« Je lui tiendrai compagnie avec plaisir, insista-t-il. Comme ça, je pourrai raconter à mes enfants que j'ai veillé sur le célèbre Black ! »

Alec ne put s'empêcher de sourire.

« Très bien. Je ne serai absent que quelques minutes. »

Il passa dans le cockpit. Le pilote lui dit, en montrant le siège du copilote :

« Asseyez-vous. Devant nous, vous voyez la chaîne de la Rivière du Vent. »

L'air nocturne était transparent. La lune éclairait les montagnes déchiquetées, couvertes çà et là de forêts immenses et séparées par de vertigineux ravins. Dans ce paysage d'une sauvagerie assez sinistre, on apercevait cependant parfois les lumières d'un village ou les phares d'une voiture.

Alec bavarda deux ou trois minutes avec le pilote. Soudain, il sursauta. Il venait d'entendre derrière lui le bruit caractéristique du seau heurtant le plancher. Précipitamment, il se leva, revint dans la carlingue. Le copilote semblait très satisfait de lui-même.

« Il avait soif, expliqua-t-il. Il a bu un plein seau... Maintenant, je regagne le cockpit. Merci de m'avoir laissé un petit moment avec lui. »

Alec ne répondit pas. Il se sentait pâlir. Il plongea son index tout au fond du seau. Cette eau était glacée! Le copilote ne l'avait pas puisée au bidon de quarante litres, mais à une glacière située au fond de la carlingue. Erreur qui pouvait être fatale!

Le jeune garçon regarda l'étalon noir. Dans dix minutes à un quart d'heure, il saurait si Black était atteint de ces terribles coliques qui sont souvent mortelles, surtout si l'on est dans l'impossibilité de le faire marcher et si aucun vétérinaire ne peut lui donner ses soins à temps.

L'étalon noir, toujours aussi calme, semblait somnoler. Alec regarda sa montre. Dix minutes avaient déjà passé. Fallait-il garder espoir?

Estimant indispensable de mettre le pilote et le copilote au courant, il passa dans le cockpit :

« Il se pourrait que Black soit malade » annonça-t-il.

Les deux hommes se retournèrent.

« Malade ?

— Oui, il a bu de l'eau glacée. S'il a des coliques, ce sera terrible !

— Vous dites : « s'il a des coliques », fit observer le pilote. Pour l'instant, il n'a rien, n'est-ce pas ?

— Non, rien. Cependant, je vous demande d'atterrir le plus vite possible. »

Le pilote essaya de sourire.

« Vous plaisantez ? Nous survolons la région la plus accidentée de tout notre voyage.

— Je ne plaisante pas. Si Black a des coliques, je ne pourrai pas le maîtriser.

— Combien de temps nous accordez-vous ?

— C'est une question de minutes. Il faut atterrir. »

Le pilote prit à peine le temps de la réflexion. Il vira à droite.

« Il nous faut une heure, dit-il. Oui, une heure. Il y a un petit aérodrome derrière nous. »

Il s'adressa au copilote :

« Envoyez-leur un message. Dites-leur que nous allons utiliser leur piste, et pourquoi. »

Alec revint près de Black. L'étalon noir frappait le plancher du sabot avec impatience et tirait sur ses cordes. Puis, tout à coup, le jeune garçon constata qu'il regardait son ventre ! Il ne put s'empêcher de supplier :

‹ Oh! non, non, pas ça! »

Il se précipita sur la porte du cockpit, l'ouvrit, hurla :

« C'est commencé! Faites vite... vite! »

Il referma la porte, se retourna. Oui, c'était bien commencé! Avec une fureur croissante, Black grattait le sol du sabot, tirait de toute sa puissance sur les cordes. Il se débattait avec tant de violence que le jeune garçon n'osait s'approcher de lui et ne pouvait que murmurer avec désespoir :

« Oh! Black, pardonne-moi, pardonne-moi! Je n'aurais pas dû te laisser un seul instant... »

Brusquement, tout céda, les cordes et même la courroie de la bride. Alors, l'étalon noir s'immobilisa, comme s'il était surpris de ne plus sentir de résistance. Il ne se rendait pas compte encore qu'il était libre...

Alec se rua sur la porte du cockpit, hurla de nouveau :

« Atterrissez! Atterrissez! Oui, maintenant... maintenant! »

Il referma la porte, pivota sur lui-même et s'immobilisa, épouvanté. Black bondissait à droite et à gauche, heurtait de son corps, de sa tête, de sa croupe puissante les parois de la carlingue. A chacun de ses bonds, de ses ruades folles, l'avion oscillait, se redressait, oscillait à la façon d'une barque secouée par un océan déchaîné.

Alec, paralysé par la peur, n'osait bouger. Il avait l'impression que l'avion perdait rapidement de la hauteur. Il pensa que les pilotes, effrayés eux aussi, cherchaient à se poser n'importe où, dès qu'ils apercevraient un coin de terrain qui leur parût propice... En tout cas, il ne pouvait plus être question d'atteindre un aérodrome.

Le jeune garçon tenta de s'approcher de Black. Mais, à ce moment, tenaillé par la souffrance, l'étalon noir s'écroula, tordit son corps énorme, à droite, à gauche, sur le plancher, rebondit contre les parois de la carlingue. Pour ne pas être frappé par ses sabots, Alec se plaqua contre la porte du cockpit. Puis il l'ouvrit et, à travers le pare-brise, il constata que l'appareil fonçait vers le sol noir. Il eut le temps de penser : « Est-ce vers une clairière que nous allons? Ou bien allons-nous nous frayer un passage à travers la forêt? »

Déjà, l'avion frôlait la cime des arbres. Le sol n'était plus qu'à quinze, vingt mètres...

Le choc pouvait se produire d'un instant à l'autre. « Il faut que nous nous tirions de là-dedans! » décida soudain le jeune garçon. Il se jeta sur la porte de la carlingue, essaya de l'ouvrir. Elle résista, puis soudain s'ouvrit toute grande. Il perdit l'équilibre, voulut se cramponner à l'encadrement, mais fut comme aspiré à l'extérieur par un tourbillon d'une force irrésistible. Alors, il dut lâcher prise...

En tombant, il eut cependant le temps de s'apercevoir que l'avion, dans un ultime sursaut, remontait, avec un grondement assourdissant de ses moteurs, cherchait à s'arracher à l'attraction de la forêt.

Alec, hurlant de toute la force de ses poumons, ses bras battant l'air, traversa à la façon d'un projectile l'épais feuillage d'un arbre. Il entendit encore une explosion. Puis plus rien. Silence et obscurité totale.

CHAPITRE IV

L'INCONNU

Quand Alec ouvrit les yeux, il ne vit que l'obscurité de la forêt. Lentement, il porta la main au sommet de son crâne. De cet endroit, une douleur intense se répandait par tout son corps.

Il essaya en vain de dormir. Où était-il? Quelque chose d'horrible s'était produit. Mais quoi? « Il faut que je sache, se répétait-il. Il le faut absolument! »

Il tendit l'oreille. Il perçut l'appel nocturne d'un animal sauvage, puis le bruit caractéristique d'un torrent. Peu à peu, il se rendit compte qu'il était couché sur la pente d'un ravin. S'accrochant aux arbres, aux aspérités du sol, aux buissons, il commença de se laisser glisser le long de cette pente. Chaque effort lui arrachait des gémissements de souffrance. Enfin, il atteignit le torrent. Sur les mains et les genoux, il avança dans l'eau, sans se soucier des rochers aigus qui lui infligeaient de nouvelles blessures.

Le torrent était peu profond. Alec s'y coucha sur le dos. Peu à peu, l'eau glacée lui procura quelque soulagement.

Combien d'heures resta-t-il dans cette position? Soudain, il distingua sur sa gauche, au flanc d'une montagne, deux faisceaux lumineux. Les phares d'une voiture! On venait à son secours!

Tant bien que mal, il se redressa, hurla de toute la force de ses poumons. Mais les faisceaux lumineux se raccourcissaient. La voiture, après un tournant sans doute, s'éloignait. Et, bientôt, plus la moindre lueur...

Alec se laissa retomber dans le torrent. Que lui était-il arrivé? Il tenta de se concentrer. Mais sa mémoire ne fonctionnait pas. Il y avait comme un barrage dans son esprit, un barrage qui le coupait du passé. Il n'arrivait même plus à se souvenir de son identité!

Il sortit du torrent, s'assit sur le sol et entreprit de fouiller ses vêtements. Dans la poche de son pantalon, il trouva de l'argent, une liasse de billets formant une somme importante, semblait-il, mais pas de papiers, rien qui pût le renseigner. Il n'avait plus qu'une chaussure. Il l'enleva, examina l'intérieur. Pas de marque. Même pas l'indication de la ville où elle avait été achetée. Il arracha le col de sa chemise. Il y trouva un nom : « Mac-Gregor. » « Mon nom? se demanda-t-il. Ou bien celui du fabricant? » Ces questions, il se les répéta

trente fois au moins, sans pouvoir leur donner de réponses satisfaisantes.

Il décida de rejoindre la route où il avait aperçu les phares. Il se leva, longea en chancelant la rive du torrent, traversa une forêt, gravit une pente escarpée. La route, la route ! Il lui fallait absolument l'atteindre, s'il voulait être sauvé ! Il avait l'impression de marcher depuis une éternité, et ses souffrances devenaient de plus en plus aiguës, lorsque de nouveau, juste devant lui, à une centaine de mètres, deux phares trouèrent l'obscurité. Derrière les faisceaux lumineux se dessinait la silhouette énorme d'un camion.

Alec s'élança à la rencontre de ce camion. Mais, dans sa précipitation, il heurta un arbre de la tête, s'abattit sur le sol et perdit connaissance.

Il se releva au bout d'un quart d'heure environ. D'un pas machinal, il reprit sa marche en avant, en se répétant : « Le camion est passé depuis longtemps. A quoi bon user mes dernières forces ? Je ferais mieux d'attendre ici... »

Brusquement, il s'arrêta. Là-bas... Non, il ne se trompait pas. Ces deux points rouges étaient des feux arrière. Le camion avait dû s'arrêter après le plus proche tournant. De fait, Alec vit une torche électrique dont le cercle jaune allait et venait. Il entendit des bruits métalliques, comme si l'on

remettait en place des outils dont on avait fini de
se servir. Alors, il comprit : « Ils ont changé une
roue. Ils s'en vont! »

Au moment où le moteur ronflait, il s'élança. Il
n'avait que quelques mètres à parcourir. Il saisit
l'abattant à la seconde même où le camion démar-
rait, profita du premier changement de vitesse,
marqué d'un très bref arrêt, pour se hisser à l'intérieur. Tout au fond, il aperçut les silhouettes des
deux transporteurs assis dans la cabine éclairée,
et il eut le temps de constater que le véhicule était
chargé de caisses entassées les unes sur les autres.
Puis, terrassé par la fatigue et la douleur, il se
laissa tomber sur le plancher et, pour la première
fois depuis l'accident, trouva enfin le sommeil.

Le camion roula jusqu'à l'aube. Le lendemain
matin, les transporteurs s'arrêtèrent. Après avoir
pris un petit déjeuner rapide dans un restaurant au
bord de la route, ils poursuivirent leur voyage.

Alec dormait toujours.

CHAPITRE V

LES RECHERCHES

Une heure après l'accident, l'étalon noir se déplaçait avec lenteur dans la forêt. Au début, torturé par des coliques foudroyantes, il avait cru qu'un galop furieux le soulagerait. Mais l'obscurité et les arbres très rapprochés les uns des autres l'avaient contraint à passer du galop au trot, puis au pas. Et ce genre d'exercice, par sa douceur même, l'avait débarrassé de ses souffrances.

Il se dirigeait vers le nord. Tout en marchant, il dressait sa tête petite et finement sculptée. Il pointait ses oreilles chaque fois qu'un bruit se faisait entendre. Il avait retrouvé la liberté et oublié sa longue existence d'animal domestique, les écuries, les ranches, ainsi que le jeune garçon qui l'aimait tant. Devant lui, s'ouvrait un monde neuf, passionnant.

A plusieurs reprises, il changea de direction. Un peu avant l'aube, il allait vers le sud. Sorti de la forêt, il gravissait des pentes hérissées d'arbres de plus en plus rares. Finalement, au lever du jour, il atteignit une petite prairie assez semblable à celles qu'il recherchait jadis sur les plateaux de son désert natal. Il poussa un bref hennissement de joie et, pour la première fois depuis longtemps, il foula de ses sabots nerveux un tapis d'herbe épaisse et courte. Il brouta, se désaltéra aux ruisseaux qui couraient dans la prairie, se reposa les yeux clos, mais les oreilles et les naseaux prêts à capter le moindre bruit, la plus légère odeur.

Il se remit en route, quitta la petite prairie, chemina entre les montagnes, s'enfonça de nouveau dans la forêt. Maintenant il trottait sans prendre garde aux oiseaux qui s'envolaient à son passage. Au bout de plusieurs heures, il déboucha de la forêt, s'arrêta pour brouter sur un autre plateau.

Tout à coup, il dressa la tête. Il venait de percevoir un bruit qui venait de derrière lui, une sorte de grondement étouffé. Ce grondement monta soudain jusqu'à un cri aigu et redescendit jusqu'à ne plus être qu'un grognement sourd.

Pour affronter l'ennemi qui allait surgir de la forêt, Black se retourna. A ce moment, un élan mâle jaillit d'entre les arbres, fendant l'air de ses bois immenses, aux larges empaumures.

L'étalon noir jeta un coup d'œil à cet animal étrange, dont le corps osseux semblait plus haut que le sien. Il décida de ne pas le combattre comme il aurait combattu un autre étalon, c'est-à-dire face à face. Donc, il esquiva d'un saut de côté la charge de son ennemi, puis il lui tomba sur le dos, pensant que son poids suffirait à déséquilibrer l'élan. Mais celui-ci demeura ferme sur ses pattes. Il mordit Black à la gorge, l'égratigna avec l'un de ses bois. Black se dégagea et lui décocha une ruade si dure que l'autre s'écroula, roula au sol. Alors, l'étalon noir se précipita sur lui, le piétina. Peine perdue! L'élan se releva, fit de nouveau usage de ses bois. Sous le coup de la douleur, Black devint furieux. Il n'en gardait pas moins le contrôle de lui-même. Ne pas lutter de front contre cette énorme bête était fort bien. Mais, pour la vaincre, il fallait employer une tactique, user de ruse.

Black se mit à tourner autour de l'élan. Lorsqu'il jugea le moment propice, les choses ne traînèrent pas. Il feignit d'attaquer son ennemi pardevant. L'autre baissa la tête. Prompt comme l'éclair, l'étalon noir bondit à gauche, se dressa de toute sa hauteur et, à l'aide de ses antérieurs puissants qui frappaient en cadence, il lui fracassa le crâne.

Un court instant, il contempla le vaincu. Puis, comme auparavant, il reprit sa marche vers le sud.

*
* *

Loin de là, près de la clairière où s'était abattu l'appareil, les recherches s'organisaient. Déjà, deux avions survolaient les montagnes. Ils n'avaient pas la tâche facile, car, dans ce paysage tourmenté, un jeune garçon et un cheval pouvaient disparaître sans laisser la moindre trace.

Au même moment, deux forestiers, partis de l'appareil accidenté, suivaient la piste de Black. Au crépuscule, ils atteignirent un plateau rocheux et constatèrent que la piste se terminait brusquement. Ils se penchèrent, examinèrent les empreintes presque ovales laissées par les sabots de l'étalon noir.

« Regarde, dit l'un d'eux. Ces empreintes sont les dernières. Nous n'en trouverons pas d'autres. »

Son compagnon leva la tête, scruta le plateau qui, hérissé de rochers, se déroulait sur des kilomètres et des kilomètres...

« Viens, reprit le premier forestier. Nous n'avons plus de piste à suivre. Il ne nous reste qu'à retourner sur nos pas. Peut-être nous chargera-t-on d'une autre mission. »

*
**

Le Boeing avait quitté New York depuis plusieurs heures. Cependant, Henry Dailey et M. Ramsay, le père d'Alec, assis côte à côte, n'avaient pas encore échangé un mot.

Le premier, Henry Dailey rompit le silence. Il posa sa main sur le genou de M. Ramsay.

« Nous avons le devoir de croire qu'il est vivant... »

M. Ramsay demanda d'une voix entrecoupée par l'angoisse :

« Mais, vous, Henry, vous le croyez? Avant notre départ, les journalistes assuraient que les recherches avaient commencé hier soir.

— N'empêche que nous avons le devoir de croire qu'Alec est vivant! répéta le vieil entraîneur avec force. N'oubliez pas, monsieur Ramsay, que Black est avec lui. Ne l'oubliez pas!

— Non, non, je ne l'oublie pas. C'est même notre seul espoir. »

Il ajouta, après un moment :

« Pourquoi Alec n'est-il pas resté près de l'appareil ou dedans ? Pourquoi s'est-il laissé emmener je ne sais où par Black ?

— Je l'ignore. Toujours selon les journalistes, Black souffrait de coliques. Alec a peut-être voulu le soigner. »

Nouveau silence. La nuit tombait, la deuxième depuis l'accident. Parfois, Henry Dailey entendait son voisin sangloter.

« Il perd espoir, songeait-il. Moi, il faut que je continue à les croire vivants. Je suis sûr qu'ils sont ensemble, qu'ils attendent qu'on les retrouve. Oui... ensemble... inséparables ! »

Il était à cent lieues d'imaginer que Black passait cette nouvelle nuit de liberté bien loin de l'endroit où on le cherchait, et qu'Alec, plus au sud encore, dans un autre Etat, s'éveillait enfin à l'intérieur du camion qui lui avait fourni un refuge.

CHAPITRE VI

LA LONGUE NUIT

L E CAMION ralentit, mais après un cahot brutal qui jeta Alec contre une caisse. Le jeune garçon se mit sur son séant, s'adossa à la caisse et palpa la blessure de son crâne. Elle lui faisait encore mal, toutefois moins qu'auparavant. Pendant son sommeil, elle avait commencé de se cicatriser. Depuis combien de temps voyageait-il dans ce camion ? Aucune importance. Deux questions le tourmentaient bien davantage : « Qui suis-je? Que m'est-il arrivé? »

Il regarda à l'extérieur. La route blanche serpentait dans la nuit. A droite et à gauche, des montagnes. « Les mêmes montagnes, pensa-t-il, et la même nuit... »

Le camion s'arrêta. Alec voulut se lever, s'approcher de l'abattant. Une de ses jambes le faisait terriblement souffrir. Néanmoins, il réussit à saisir le haut de la planche, à passer par-dessus sa jambe valide. A ce moment, une voix lui parvint:

« Il n'est pas complètement à plat, Joe. Il tiendra jusqu'au prochain garage, j'en suis sûr. »

Craignant de perdre l'équilibre, Alec poussa un cri. Il y eut des pas précipités. Puis deux mains l'empoignèrent, l'arrachèrent à l'abattant, le déposèrent sur la route. Il resta un moment les yeux clos. Quand il les rouvrit, deux hommes le dévisageaient en l'aidant à se redresser. Puis ils l'entraînèrent jusqu'au capot du camion et l'examinèrent à la lumière des phares. Le plus grand le secoua avec violence.

« Depuis quand voyages-tu avec nous? Depuis Salt Lake City? Tu es donc aveugle? Tiens, regarde ça! »

Il montrait un écriteau collé contre le pare-brise.

« Tu vois, il nous est interdit de prendre des

voyageurs. La compagnie qui nous emploie a des espions partout. Si tu as été repéré, nous perdrons notre emploi. »

Alec bredouilla :

« J'ai... j'ai besoin de... La police... alertez la police ! »

Les deux hommes éclatèrent de rire. Le plus grand reprit la parole :

« A ta place, et avec ta dégaine... je les fuirais plutôt, moi, les policiers ! »

L'autre :

« Il n'a même pas de chaussures ! »

Peu après, la portière claqua, le moteur ronfla et le camion s'éloigna en trombe. Alec était de nouveau seul. Il s'assit sur le sol, regarda autour de lui. Cette nuit ne finirait-elle donc jamais ?

Mais il se rassurait. Il se trouvait sur une route importante. D'autres voitures passeraient. L'une d'elles s'arrêterait peut-être. Il raconterait qu'il avait reçu un coup sur la tête, perdu la mémoire, oublié son nom. On l'aiderait. Qui sait ? Il aurait peut-être la chance de tomber sur ceux qui étaient à sa recherche et qui, eux, connaissaient son identité...

La voix du plus grand des deux transporteurs résonnait encore à ses oreilles : « ... avec ta dégaine, je les fuirais plutôt, moi, les policiers ! »

Avec ta dégaine? Il palpa son visage aux lèvres enflées, puis les haillons qui avaient été ses vêtements. Finalement, sa main s'attarda sur l'une de ses poches gonflées par les billets de banque. Pourquoi était-il en possession d'une somme aussi importante? Pourquoi avait-il traversé des forêts, franchi des montagnes? Pourquoi? Pourquoi? Pourquoi?...

Soudain, des phares percèrent l'obscurité. Une voiture s'arrêta. Un homme trapu et robuste en descendit... un pistolet à la main. Mais, dès qu'il se fut penché sur Alec, il remit le pistolet dans sa poche.

« Blessé? demanda-t-il. Qu'est-ce qui vous est arrivé?

— J'étais monté dans un camion, répondit le jeune garçon. Quand ils m'ont découvert, les transporteurs m'ont abandonné ici. »

L'homme reprit avec bonté :

« Venez. »

Il aida Alec à monter dans la voiture, l'installa aussi confortablement que possible et ajouta en démarrant :

« Dormez. J'ai l'impression que vous en avez besoin. On dirait que vous souffrez. Rien de cassé, au moins?

— Je... ne souffre pas. Et je n'ai rien de cassé.

— Comment vous appelez-vous? »

Alec eut l'impression que se dessinait devant ses yeux le nom qui figurait sur le col de sa chemise.

« MacGregor, prononça-t-il.

— Moi, je m'appelle Washburn. »

Ensuite, Alec fit semblant de dormir. Au bout de deux heures, une main se posa sur son épaule. La voiture venait de s'arrêter.

« Je prends de l'essence, dit Washburn. Vous allez pouvoir en profiter pour faire un peu de toilette... »

Alec descendit et se dirigea d'un pas incertain vers le restaurant qui se trouvait derrière la station-service. Il s'enferma au verrou dans les lavabos, se lava le visage, les mains. La glace lui renvoyait son image. Il l'examina avec une attention extrême, pour la graver dans son esprit et en se répétant : « Je m'appelle MacGregor... MacGregor... MacGregor... »

Il lui fallut un long moment pour capter l'appel insistant de l'avertisseur. Il sortit du restaurant, remonta dans la voiture. Washburn était déjà au volant.

« Vous avez dû faire une vraie toilette! Vous vous sentez mieux? »

« MacGregor » répondit « oui » d'un signe de

tête. « Pas bavard, pensa Washburn. Laissons-le tranquille... »

Cependant, au bout de quelques minutes, il demanda :

« Vous n'avez pas faim ? Il y a des sandwiches derrière vous. »

Comme « MacGregor » ne répondait pas, il prit lui-même la boîte de sandwiches sur la banquette arrière et la plaça entre eux :

« Servez-vous. »

La route traversait une plaine immense, désertique, et la voiture roulait à grande vitesse. Néanmoins, le conducteur ne pouvait s'empêcher d'exa-

miner de temps à autre son passager. Il lui trouvait
une expression étrange, un regard... Oui, c'était
cela : un regard traqué...

N'aimant pas rester longtemps silencieux, il ne
tarda pas à expliquer :

« Je suis dans la construction. J'ai affaire dans
l'Ouest. J'ai rendez-vous près de Phœnix demain à
midi... »

Pour la première fois, « MacGregor » parut intéressé. Il retira de sa bouche le sandwich dans lequel
il venait de mordre et répéta :

« Phœnix ?

— Oui. J'y serai à temps. Nous aurons quitté
l'Utah dans deux heures.

— L'Utah ?

— Bien sûr. »

De nouveau, Washburn jeta un coup d'œil à son compagnon, lui retrouva ce regard traqué qu'il avait déjà noté. « Il a peur, pensa-t-il. Il fuit sûrement quelque chose... » Et il commença d'éprouver un malaise...

« Peut-être n'avez-vous pas l'intention d'aller jusqu'en Arizona? » demanda-t-il.

« MacGregor » parut hésiter, puis :

« Si.

— Vraiment? Jusqu'à Phœnix?

— Oui. »

Washburn crispa ses doigts sur le volant. Il s'interrogeait : « Ai-je commis une erreur en embarquant ce passager bizarre? Heureusement, j'ai mon pistolet... »

Deux heures s'écoulèrent. Washburn, pour dominer sa peur, ne cessait de bavarder. « MacGregor » gardait un silence têtu.

La voiture roulait depuis longtemps déjà sur le territoire de l'Arizona, lorsque le conducteur sentit ses paupières s'alourdir. S'il avait été seul, il se serait arrêté et aurait dormi un moment. Pour rester éveillé, il mit en marche sa radio. A cet instant, il vit « MacGregor » porter la main à l'une de ses poches. Or, cette poche semblait étrangement gonflée. Que contenait-elle? Une arme?

Washburn se saisit discrètement de son pistolet :

« Qu'est-ce que vous faites, MacGregor? Qu'avez-vous dans cette poche? Je vous préviens, si vous me mettez un pistolet sous le nez, je précipite la voiture dans le ravin que vous voyez là-bas. Ce sera la mort pour vous comme pour moi!

— Je n'ai pas de pistolet », balbutia le jeune garçon.

Il montra une liasse de billets de banque. Washburn, un peu rassuré, murmura :

« Vous avez là beaucoup d'argent... »

Et, dans son for intérieur : « Où a-t-il bien pu prendre ça? En tout cas, ce n'est pas mon affaire. Il faut que je me débarrasse de lui dès que possible... »

Une heure plus tard, devinant qu'il ne pourrait plus résister longtemps au sommeil, il ralentit et déclara :

« Il faut que je me repose un peu. »

Il arrêta sa voiture sur le côté de la route. Il ne ferma pas sa radio. Il ne voulait pas dormir, mais se détendre. A la musique succéda l'horloge parlante : deux heures, puis un bulletin d'informations :

« ... *dans le quartier sud de Salt Lake City. Les trois hommes ont été capturés une heure après ce vol audacieux, mais le jeune garçon qui les accom-*

pagnait a réussi à prendre la fuite. C'est sans doute lui qui garde les deux cents dollars pris au caissier du restaurant. Mince, les cheveux roux, il mesure environ un mètre soixante. Age : seize à dix-huit ans. Il a été blessé en divers endroits, au visage principalement, pendant la bagarre qui s'est déroulée dans la salle. La police de l'Utah... »

Washburn se tourna vers son compagnon et lui ordonna :

« Descendez. Vous attendrez dehors que je sois prêt à repartir. Après ce que je viens d'entendre, je ne peux plus avoir confiance en vous! »

Quand il fut seul dans la voiture, il verrouilla les portes. Bien sûr, il n'avait pas l'intention de livrer ce gamin à la police. Ce n'était pas son genre. Mais, dans des circonstances semblables, on ne prend jamais trop de précautions, n'est-ce pas?

Il put donc dormir d'un sommeil paisible... qui l'empêcha d'entendre un deuxième communiqué :

« ... on recherche toujours Alec Ramsay et son célèbre étalon noir dans la région Nord-Ouest du Wyoming. Pour la deuxième nuit consécutive, des avions survolent les montagnes. Des forestiers assurent qu'il y a peu de chances pour que l'on retrouve Alec Ramsay vivant. Le père d'Alec et son ami le plus intime, l'excellent entraîneur Henry Dailey,*

CHAPITRE VII

ÉTRANGE RÉVEIL

« MacGregor » trébuchait parfois dans le sable mais son regard quittait rarement la sombre chaîne de montagnes qui se dressaient devant lui. « Là, se répétait-il, je trouverai un refuge et la tranquillité. »

Il marcha ainsi de longues heures, jusqu'au lever du jour. Quelle ne fut pas sa déception en constatant que les montagnes ne semblaient pas plus proches qu'au cours de la nuit! Néanmoins, malgré son épuisement, et malgré les souffrances que ses blessures recommençaient à lui infliger, il se remit en route. « Il faut absolument que je sois là-bas avant le crépuscule », décida-t-il.

Souvent, il s'arrêtait pour se reposer. A un moment donné, n'en pouvant plus, il s'allongea sur le sable. Il s'était promis de ne pas dormir. Céda-t-il au sommeil? Dans l'état de demi-évanouissement où il était plongé, il eut l'impression que des mains le palpaient. Ne le laisserait-on jamais tranquille? De ses lèvres enflées, des mots s'échappèrent malgré lui :

« Mon nom est MacGregor... »

Un peu plus tard, des bras robustes le soulevèrent. Et il sentit qu'on le déposait... Sur quoi? Il n'aurait su le dire. Une seule certitude : sa tête s'enfonçait dans une sorte d'oreiller, peut-être l'un de ces sacs en peau dont le poil est sec et dur. Par ses paupières entrouvertes, il capta les clignotements d'un feu de camp. Puis on lui versa dans la gorge un liquide qui le ranima un peu.

De nouveau, on le souleva. Un moment après, il entendit ce qui ressemblait au pas d'un cheval. Et il se rendit compte que ce cheval le portait. Il voulut se redresser. Mais une main l'immobilisa et une voix articula :

« Ne bouge pas. »

Il obéit. Comment aurait-il résisté? Il était sans force, et cette voix avait tant de douceur... Il ferma les yeux.

Quand il les rouvrit, il était couché sur le sol. Il vit des flammes à quelques pas et, derrière ces flammes, la silhouette d'un homme.

« Je m'appelle MacGregor... »

La même voix douce prononça :

« Je le sais. Tu me l'as dit vingt fois. »

L'homme l'alimenta à l'aide d'une cuiller, avec une patience infinie. Puis :

« Maintenant, il faut dormir. Nous allons nous remettre en route. »

Peu après, « MacGregor » était replacé sur le cheval. Et le voyage recommençait...

Lorsque « MacGregor » se réveilla, il découvrit que la matinée était déjà très avancée. Sa monture — il ne s'agissait pas d'un cheval, mais d'un âne — cheminait au flanc d'une montagne, dans la fraîcheur des premiers sapins. L'homme marchait derrière l'animal. « MacGregor » aurait bien voulu le voir. Cependant, il n'avait pas la force de tourner la tête. Il se rendormit.

Ou plutôt il somnola jusqu'au coucher du soleil.

A ce moment, il vit que l'âne traversait une prairie au centre de laquelle se dressait une maison entourée de fleurs.

L'homme s'approcha en disant :

« Nous sommes arrivés. »

Il reprit « MacGregor » dans ses bras, poussa la porte de la maison, puis celle d'une chambre. Et il déposa son fardeau sur un lit, en prononçant de cette même voix si douce :

« Tu vas dormir. Ce qu'il te faut, c'est un long, très long sommeil. Après cela, tout ira bien. »

« MacGregor » s'abandonna au sommeil le plus paisible qu'il eût jamais connu, un sommeil interminable : une nuit et un jour; une autre nuit et un autre jour...

Un matin, il se rendit compte que son état s'améliorait. Ses blessures avaient cessé d'être douloureuses, et il réussissait à former des mots, à les murmurer.

Il regarda autour de lui. Un ordre parfait régnait dans la chambre. Les rideaux de la fenêtre étaient d'une blancheur immaculée. Un tapis rouge couvrait le plancher. Il y avait plusieurs fauteuils aux vives couleurs. Sur la table de toilette, les objets : brosses, peignes, lotions, etc., étaient rangés avec soin. Une garde-robe laissait voir des piles de chemises, des vestes de cuir, des chapeaux à larges bords, des bottes. Le mur du fond disparaissait sous des lassos, des fusils de tous calibres...

La porte s'ouvrit. L'homme entra.

« Alors, ça va mieux?

— Beaucoup mieux, répondit « MacGregor ».

— C'est ce que j'espérais. Rien ne vaut un long repos. Je t'ai préparé un bon petit déjeuner. »

Il sortit et reparut peu après. Il portait un plateau qu'il posa sur la table de chevet : deux œufs au jambon, un pot de confitures, des toasts.

« Mange. Tu n'as plus besoin que je t'aide, n'est-ce pas? Ces œufs proviennent de mon poulailler. Ce sont des œufs du jour. »

Tout en parlant, l'homme avait un sourire cordial qui révélait des dents très blanches. Quel âge avait-il? Sans doute soixante ans. Mais il n'en paraissait guère plus de quarante. Il attira un fauteuil et, avant de s'asseoir, en regarda longuement le dossier. Puis il demanda soudain :

« De quelle couleur est ce fauteuil?

— Euh... jaune. »

L'homme éclata de rire.

« J'ai cru, en l'achetant, qu'il était brun. C'est d'ailleurs ce que m'a assuré le marchand. Je confonds les couleurs. C'est ce qu'on appelle, je crois, être daltonien. Mais, MacGregor, tu ne manges pas?

— Comment se fait-il que vous connaissiez mon nom?

— Depuis une semaine, je t'ai entendu le prononcer au moins cent fois. Mon nom, à moi, est Gordon.

— Il y a si longtemps que je suis avec vous?

— Cela fait une semaine que nous t'avons trouvé.

— Pourquoi « nous »?

— Goldie et moi. Goldie est mon âne, mon ami, mon compagnon. En réalité, son vrai nom est Black Goldie. Je l'ai appelé ainsi en souvenir du vainqueur du Kentucky Derby, il y a quelques années.

Le seul derby auquel j'aie jamais assisté. »

Le jeune garçon avait froncé les sourcils. Le *Kentucky Derby...* *Black Goldie...* *Black...* Il ferma les yeux, chercha de toutes ses forces. Ces mots allaient-ils lui rendre la mémoire? Mais il ne tarda pas à se rendre compte que ses efforts étaient vains, que rien ne se déclenchait dans son esprit. Il rouvrit les yeux.

« Souffres-tu encore? demanda Gordon.

— Non...

— Alors, tu cherches à comprendre... Il y a quelque chose qui t'échappe... Ne pense plus à tout cela, « MacGregor ». Tu ne t'en guériras que plus vite. »

Brusquement, le jeune garçon eut une expression effrayée. Il s'était dressé sur un coude, comme s'il s'apprêtait à fuir.

« Je... je ne comprends pas ce que vous voulez dire... »

Gordon se leva.

« Tu m'as tout raconté dans ton délire. Tu crois que tu as commis un vol et que la police te recherche. Mais, de tout cela, tu n'as pas la moindre certitude. A la suite d'un choc, semble-t-il, tu as perdu la mémoire... même celle de ton nom. Tu as pris celui de « MacGregor ». Tu me l'as dit... A ta place, pour l'instant, je laisserais tomber. L'important est que tu te rétablisses. Ensuite, tu réfléchiras et tu prendras ta décision. »

Il alla jusqu'à une commode et ouvrit le tiroir du haut. Quand il se retourna, il montra une enveloppe non cachetée. Elle contenait la liasse de billets de banque...

« Voilà l'argent », poursuivit-il.

Il remit l'enveloppe dans le tiroir.

« N'en parlons plus tant que tu ne seras pas vraiment guéri. A ce moment, si tu as la certitude que cet argent ne t'appartient pas, tu sauras ce qui te reste à faire. Mais, d'ici là, évite de t'adresser des reproches. Si tu te croyais coupable, tu ne te rétablirais jamais. »

Il se dirigea vers la porte et conclut en souriant avant de sortir :

« Quant au nom que tu as pris, aucune importance. « MacGregor » en vaut bien un autre. Ici, les noms ne comptent guère. Moi, par exemple, mon nom de famille n'est pas Gordon. Ce n'est que mon prénom. »

CHAPITRE VIII

LES SAPINS

AU COURS de la semaine suivante, le jeune garçon
apprit que le nom de famille de Gordon était
Davis. Mais Gordon ne l'avait pas employé depuis
six ans, c'est-à-dire depuis qu'il avait décidé de
rompre avec son passé et de vivre dans la solitude,
sur cette prairie que cernait de toutes parts une
forêt de sapins.

« Il y a quelques années, expliquait-il, je n'aurais fait à quiconque cette confidence. Je voulais oublier Hollywood et que j'y avais été le rédacteur en chef d'un magazine de cinéma à grand tirage. J'ai voulu rompre avec tout cela. Aujourd'hui, je me contente de mon prénom. D'ailleurs, à Leesburg, la ville la plus proche, on ne m'appelle même pas Gordon, mais tout simplement « l'homme au bourricot ». Je passe une partie de mon temps ici. J'entretiens ma maison. Je soigne mes fleurs. Bien sûr, je ne connais pas leurs vraies couleurs. Mais je profite à fond de leurs parfums, car j'ai un odorat subtil. Et puis je voyage à droite et à gauche. Goldie et moi, nous connaissons à fond la forêt, les montagnes, le désert. Nous cherchons de l'or et de l'argent. Je ne suis pas un ermite. Je suis un prospecteur... »

Gordon était intarissable. « MacGregor » l'écoutait avec attention et non sans plaisir, car les récits de son hôte lui permettaient d'oublier ses soucis.

Il avait retrouvé en grande partie sa force physique. Cependant, il souffrait encore de migraines fréquentes, et la mémoire lui faisait toujours défaut. Redeviendrait-il un jour ce qu'il était auparavant? Pourrait-il renouer avec son passé?

Un soir, Gordon lui dit :

« Il faut tenir compte du fait que tu as subi un

traumatisme grave qui a eu pour conséquence une amnésie totale. Tu marches à grands pas vers la guérison. De quoi as-tu besoin? De repos, d'une nourriture saine et abondante. C'est ce qu'un médecin recommanderait, j'en suis certain.

— La guérison? répéta le jeune garçon avec un sourire amer. Ce que je voudrais... c'est me souvenir...

— La mémoire te reviendra... si tu le veux.

— Si je le veux? Mais je ne pense qu'à ça!

— Je vais te faire un aveu. Ces derniers jours, j'ai cru que tu n'en avais pas envie. Il y a des gens qui ne tiennent pas à revivre leur passé. Je me suis trompé, voilà tout.

— C'est à cause de l'argent, n'est-ce pas? Vous vous disiez : « Il a la police à ses trousses. Alors... » Eh bien, sachez que je veux me souvenir de tout. Et peu importe ce qui m'arrivera par la suite. Vous pouvez me croire.

— Je te crois. Tu veux te souvenir de tout? Parfait. Mais cela dépend uniquement de toi. Il faut que tu te livres à des expériences....jusqu'au moment où l'éclair jaillira. Tiens, je vais te montrer. »

Il apporta l'un de ses fusils, le tendit à « Mac-Gregor ».

« Prends. »

Le jeune garçon s'exécuta. Il regardait, avec curiosité, le canon, la crosse.

« Maintenant, épaule-le », ajouta Gordon.

« MacGregor » éleva la crosse jusqu'à son épaule, mais dans un mouvement si gauche, si maladroit, que son hôte se hâta de lui reprendre l'arme.

« Tu ne t'es sûrement jamais servi d'un fusil ! Il ne te reste plus qu'à tenter d'autres expériences, dans autant de domaines que possible. »

Les jours suivants, « MacGregor », physiquement rétabli et heureux d'avoir un plan d'action qui lui permît de ne plus attendre en se tournant les pouces que la mémoire lui revînt, se livra à différents travaux. Il tailla les rosiers, en planta plusieurs. Il bêcha, sarcla. Parfois, il prenait un peu de terre, la respirait. Mais l'odeur de la terre, tout comme le parfum des fleurs, ne lui rappelait rien.

Le soir, il choisissait un livre dans la bibliothèque de Gordon et lisait jusqu'à une heure avancée. Il espérait qu'un mot, une phrase, réveillerait quelque chose au fond de sa mémoire. Cependant, jusque-là, rien ne s'était produit...

Un après-midi, il prit l'une des cannes à pêche de son hôte, l'examina, la serra dans sa main. Ce contact lui semblait vaguement familier. Au bout d'un moment, il se rendit au ruisseau qui coulait au bas de la prairie. Après avoir repéré un endroit

où les truites foisonnaient entre deux eaux, il lança
la mouche. Quelques secondes plus tard, il ferra,
d'un souple mouvement du poignet. Il savait donc
se servir d'une canne, d'un moulinet, d'une mouche! Il savait pêcher!

Il décrocha la truite, la contempla un moment,
réfléchit. Il avait donc enfin découvert une forme
d'activité à laquelle il s'était déjà livré, qui lui
était assez familière! Mais cette découverte laissait sa mémoire aussi inerte qu'auparavant. Rien
n'était changé. Rien ne changerait sans doute
jamais.

Les jours suivants, découragé, il resta inactif. Gordon, qui ne cessait de l'observer, lui disait :

« Je ne peux rien pour toi. Il faut que tu te tires d'affaire tout seul... »

Peu après, il lui annonça :

« Il faut que j'aille à Leesburg pour renouveler mon ravitaillement. Tu peux m'accompagner ou rester ici. Comme tu voudras. »

« MacGregor » savait qu'il n'avait plus le droit de s'attarder dans cette maison. Il ne pouvait pas abuser indéfiniment de l'hospitalité d'un homme qui avait tout abandonné pour vivre dans la solitude...

« Je vous accompagne », décida-t-il.

Gordon le regarda, étonné.

« Le voyage aller et retour dure une journée. Il faudra que tu marches, car Goldie portera des livres et des magazines que je renvoie à un ami habitant la Californie.

— Je n'ai pas peur de marcher une journée entière », déclara « MacGregor. »

Puis, après une hésitation :

« Je suis solidement chaussé, grâce aux bottes que vous m'avez prêtées. Pour le reste, ma veste, mon pantalon, tout cela vous appartient. Je trouverai bien un moyen de vous faire parvenir ces bottes et ces vêtements.

— Voyons, il n'en est pas question! D'ailleurs, tu reviendras ici avec moi. Tu es le bienvenu dans ma maison.

— Merci, Gordon. Mais vous avez déjà beaucoup fait pour moi. Maintenant, comme vous me disiez, faut que je me tire d'affaire seul. Je vais chercher du travail.

— Il n'y en a guère à Leesburg. C'est une petite ville.

— Je finirai bien par en trouver.

— Pourquoi n'emporterais-tu pas l'argent? Il t'aiderait en attendant de... »

Gordon s'était brusquement arrêté en voyant le regard que lui jetait « MacGregor ».

« Cet argent, expliqua ce dernier, vous pouvez le garder. Je ne veux même pas y penser. Plus tard peut-être, quand je saurai...

— A ton aise. En tout cas, n'oublie pas qu'il sera toujours à ta disposition. »

***

Le lendemain, Gordon alla détacher lui-même Goldie et l'amena devant la maison. Puis il regarda « MacGregor » procéder au pansage de l'âne. Après quoi, le jeune garçon prit la couverture, la plaça avec soin, en laissant le garrot bien dégagé.

Ensuite, ce fut le tour du bât. « MacGregor » le posa avec le même soin que la couverture et boucla la sangle sans trop la serrer. Il montrait, dans ce genre de travail, une habileté confondante, à tel point que Gordon pensa : « Pas de doute, ce n'est pas la première fois qu'il fait cela... »

Un peu plus tard, tandis que les voyageurs s'enfonçaient dans la forêt de sapins, Gordon évoqua de nouveau l'adresse avec laquelle son compagnon avait pansé et sellé Goldie. Cependant, il garda le silence. Jusqu'ici, malgré quelques expériences, « MacGregor » n'avait pas réussi à retrouver la mémoire. Il ne fallait donc pas le tourmenter, mais laisser agir le temps, peut-être le hasard...

Après une heure de marche, le jeune garçon dit soudain :

« J'ai réfléchi au nom de Goldie... à son nom complet, Black Goldie.

— Et alors? demanda Gordon.

— Si j'ai bien compris, ce Black a gagné le Kentucky Derby?

— Oui, mais il y a longtemps. »

Comme « MacGregor » ne disait plus rien, Gordon reprit la parole :

« Je ne crois pas t'avoir dit que je m'intéressais aux pur-sang avant de venir ici...

— Les pur-sang?

— Oui, les chevaux de course, ceux qui ont été
sélectionnés à cet effet de père en fils depuis des
générations et des générations. Ici, dans la région
où nous sommes, il n'y a que des demi-sang dont
leurs propriétaires essaient de faire des chevaux de
course. Heureusement, je ne vois presque personne.
Sinon, j'aurais sans cesse des discussions à ce sujet.
Ces demi-sang, je le reconnais, ne manquent pas de
qualités. Ils sont d'humeur facile et assez rapides
sur de courtes distances. Mais ils ne valent pas... ils
ne vaudront jamais des pur-sang! »

Le jeune garçon déclara d'un ton hésitant :

« On ne peut pas reprocher à un propriétaire

d'aimer ses chevaux, quelles que soient leur origine et leurs capacités. »

Gordon se retourna vivement et regarda avec attention son compagnon. De nouveau, il se souvint de l'habileté avec laquelle « MacGregor » avait soigné et harnaché Goldie. « Et voilà, pensa-t-il, qu'il parle des chevaux de course et de leurs qualités! Pas de doute : il a des connaissances dans ce domaine. D'ailleurs, sa silhouette... sa minceur nerveuse sont d'un cavalier... »

Puis, soudain, il eut comme une illumination : « Comment se fait-il que je ne m'en sois pas rendu compte plus tôt? Il me semble que sa physionomie m'est familière. Où ai-je bien pu le voir? Sur un hippodrome? Impossible. Voilà six ans que je vis en reclus. Mais peut-être que, dans un magazine spécialisé... Il y a un an environ, mon ami Lew Miller m'a envoyé plusieurs numéros du *Pur-Sang*. Après les avoir lus, je les lui ai renvoyés. Il est possible que, dans l'un de ces numéros, une photo ait retenu quelques instants mon attention... Oui, c'est possible... »

Finalement, Gordon dit à haute voix :

« Un de ces jours, MacGregor, je parie que tu t'apercevras que tu aimes les chevaux.

— En tout cas, j'aime beaucoup Goldie... »

A ce moment, les deux voyageurs traversaient

une prairie. Puis ils prirent un sentier qui descendait vers une vallée longue et étroite. Devant eux, se dressaient les montagnes qu'il allait leur falloir franchir.

« Il se peut que tu trouves un emploi aux environs de Leesburg, reprit Gordon. Je connais un certain Allen avec qui tu t'entendrais très bien. Il y a trois ans qu'il s'est installé dans la région. Et, depuis lors, avec plusieurs amis, il joue au cow-boy ! »

Il ajouta en souriant :

« Il est vrai que je joue bien, moi, au prospecteur ! Toujours est-il qu'Allen ne manque pas d'argent. Il possède un beau ranch, des pâturages magnifiques, des bestiaux. Mais ce sont surtout ses chevaux, ses demi-sang, qui l'intéressent. L'an dernier, grâce à Eclair, l'un de ses poulains, il a gagné une course. Et, depuis lors, il étale autant d'orgueil que s'il était le propriétaire de Satan.

— De Satan ? » répéta « MacGregor » avec un sursaut.

Son visage était soudain pâle, ses traits tirés. Et, dans ses yeux, il y avait de l'affolement, le reflet d'un violent combat intérieur. Il cherchait, cherchait... Mais c'était en vain. Son regard s'éteignit, n'exprima plus qu'une immense tristesse.

« Satan est un cheval de course, expliqua Gordon

avec douceur. Il fut même un crack en son temps.

— Je le sais.... je le sais... », balbutia le jeune garçon.

Et il porta la main à son front.

« Tu as encore la migraine ? demanda Gordon.

— Un peu. Ça va passer.

— Nous allons nous reposer avant de franchir le défilé, décida Gordon. Ensuite, tu verras, tout ira bien. »

Il se promit de ne plus risquer la moindre allusion aux chevaux. Mais, dès son arrivée à la ville, il griffonnerait un mot à l'intention de Lew Miller. Il lui demanderait de lui envoyer une dizaine de numéros de *Pur-Sang*. Peut-être y trouverait-il des indications concernant l'identité de son compagnon. « Oui, mais la liasse de billets de banque ? songeait-il. Quel bien ferais-je à ce malheureux si j'étais en mesure de lui dire : « Voilà ton vrai nom. La police de l'Utah te recherche pour vol ? » Et moi-même, que deviendrais-je dans tout cela ? Je passerais bien des nuits blanches si j'avais la certitude que j'ai donné asile à un voleur en fuite. Je me reprocherais aussi de ne pas avoir mis les autorités au courant... Le mieux ne serait-il pas de me tenir dorénavant à l'écart ? Oui, c'est ce qu'il faut faire. Je vais demander à Allen de donner un emploi à mon... protégé. Puis je rentrerai chez

moi et je reprendrai mon existence habituelle,
comme si cet épisode bizarre n'avait pas eu lieu. »

Ainsi méditait Gordon tandis que, suivi de son
âne et de « MacGregor », il descendait le sentier
conduisant au pied de la montagne. Ne possédant
pas de radio, il ignorait qu'on recherchait toujours,
dans le Nord du Wyoming, un certain Alec Ramsay, lequel avait conduit Black et Satan à quelques-
uns de leurs plus grands triomphes, et que ces
recherches n'étaient plus poursuivies que grâce à
Henry Dailey et une poignée d'hommes recrutés
par ses soins. Le vieil entraîneur refusait d'abandonner. « *Alec n'est pas mort,* affirmait-il à qui
voulait l'entendre. *Sinon, je le saurais. Ce serait
comme l'anéantissement d'une partie de moi-
même. Non, Alec n'est pas mort!* »

*
* *

Gordon ignorait enfin que, bien loin du Wyoming, broutait un grand étalon noir, le père de
Satan. En quatre semaines, Black avait changé. Les
poils de sa queue et de sa belle crinière étaient
emmêlés, alourdis de feuilles sèches, de brindilles
et d'aiguilles de pin. Ses sabots déferrés étaient
usés et durcis d'avoir longtemps foulé un sol pier-
reux ou semé de rochers. Black avait appris à trot-

ter et galoper sans bruit, quelle que fût la nature
du terrain. Il gardait sur ses flancs, sur son garrot
et son encolure, les marques des crocs et des griffes
de ses ennemis, car il avait dû livrer de terribles
batailles, toutes terminées par des victoires. Maintenant, ses yeux avaient une expression sauvage,
celle des animaux qui ne craignent plus rien, ni
leurs semblables ni les hommes. Malgré son amai-
grissement, il était plus rapide, plus fougueux que
jamais. Bref, au meilleur de sa forme.

Cessant de brouter, il leva la tête et, de ses
naseaux délicats, chercha le vent. Puis il hennit
pour rassembler la harde dont il avait pris le
commandement. Il y avait là quelques juments et
des mustangs dont certains ne connaissaient pas la
main de l'homme, tandis que d'autres portaient les
marques de ranches disséminés dans le Wyoming,
l'Utah et l'Arizona.

Black se trouvait à cent cinquante kilomètres
environ de l'endroit où Gordon et le jeune garçon
qui répondait au nom de « MacGregor » se repo-
saient avant de reprendre le chemin de Leesburg.

CHAPITRE IX

LE MAQUIGNON

LES DEUX voyageurs arrivaient au terme de cette longue course à travers les montagnes. Depuis une heure déjà, ils cheminaient sur le plateau de Leesburg. La ville n'était plus qu'à quelques kilomètres. D'un geste devenu familier, « MacGregor » porta la main à son front.

« Voilà ma migraine qui me reprend. Si nous

nous reposions encore une dizaine de minutes? »

Il s'assit près de Gordon au bord de la route.

« Ne te fais pas d'illusions, dit Gordon. Leesburg est une petite ville. Quelques maisons, un hôtel, un drugstore et le ranch d'Allen. »

A ce moment, apparut une camionnette découverte.

« C'est Cruikshank, expliqua Gordon. Il acceptera peut-être de te conduire à la ville. Moi, je continuerai avec Goldie. »

Il se leva, bien que la camionnette fût à bonne distance.

« Mais Cruikshank acceptera-t-il? ajouta-t-il en hochant la tête. C'est un personnage bizarre. Il se peut qu'il ne s'arrête même pas en passant devant nous. Ce maquignon n'a jamais rien d'intéressant à vendre. Voilà au moins vingt ans, si je suis bien renseigné, qu'il vit dans la région. Il voulait acheter le ranch dont Allen est propriétaire. Il n'en a pas eu les moyens. Il se venge en détestant Allen, en faisant courir sur lui des bruits affreux. Allen s'en moque. Il ne se soucie pas plus de Cruikshank que d'une guigne. D'ailleurs... »

« MacGregor » s'était soudain dressé.

« Regardez! Il traîne quelque chose derrière lui. Ça ressemble à... à un cheval! Qu'est-ce que vous en dites?

— Je croyais que c'était un nuage de poussière. Maintenant, il me semble bien... »

La camionnette venait d'atteindre un tournant de la route et, derrière elle, on voyait en effet un cheval. Il galopait de toutes ses forces pour ne pas se laisser distancer. Après le tournant, il dérapa, se coucha presque sur la chaussée. Par quel miracle réussit-il à se remettre sur ses jambes? Mais la camionnette, au lieu de ralentir, avait accéléré. Cette fois, le cheval, incapable de la suivre, perdit l'équilibre et s'abattit sur le sol.

Gordon s'exclama :

« Il va le tuer! Il faut absolument... »

Il ouvrit de grands yeux en constatant qu'il n'y avait plus personne près de lui. Le jeune garçon courait vers la camionnette.

« Tu es fou! cria Gordon. Reviens! »

Mais « MacGregor » ne semblait pas l'entendre. Il avait obéi à une impulsion. Lorsqu'il ne fut plus qu'à une dizaine de mètres du véhicule, il s'arrêta, bondit de côté à l'instant même où le conducteur serrait les freins en lui lançant une bordée de jurons. Puis il se glissa le long de la camionnette, saisit à deux mains l'une des barres de bois qui entouraient le plateau... juste à la seconde où le maquignon redémarrait.

Alors, il eut l'impression que ses bras allaient

être arrachés. Cependant, il tint bon, se laissa traîner plutôt que de lâcher prise. Derrière la camionnette, il aperçut le cheval. Manifestement, celui-ci
n'en pouvait plus. Dans deux ou trois minutes, il
s'abattrait, cette fois pour de bon. « MacGregor »
pensa, au moment où Cruikshank passait en trombe
devant Gordon : « Pas de doute, il veut tuer ce
cheval! »

Cette idée lui donna la force de se hisser, après
plusieurs tractions infructueuses, sur le plateau. Il
se précipita à l'arrière, empoigna la corde, la
dénoua. Lorsqu'il la lâcha, elle vola en l'air en
sifflant comme un fouet. Libéré brusquement, le
cheval tomba.

« MacGregor » voulut sauter, mais la camionnette allait trop vite. Comme la cabine ne possédait pas de lucarne, Cruikshank ignorait encore
qu'il avait perdu sa victime. Pas pour longtemps
sans doute. En tout cas, il allait de plus en plus
vite. Il voulait en finir!

« MacGregor », se retournant, vit trois cavaliers
qui s'avançaient au grand galop et se dirigeaient
vers le cheval qui gisait sur la route. Il fut heureux
à la pensée que d'autres personnes que lui-même
et Gordon se fussent rendu compte des intentions
meurtrières de Cruikshank.

Les premières maisons de Leesburg n'étaient

plus qu'à un kilomètre cinq cents environ. Soudain, la camionnette s'arrêta. « MacGregor » comprit que le maquignon ne voulait pas traîner en ville un cheval mort.

Il sauta du véhicule et attendit. La portière s'ouvrit. Cruikshank descendit, passa près du jeune garçon. Dès qu'il eut constaté qu'il n'y avait plus rien derrière la camionnette, il fit demi-tour. Le maquignon était un homme maigre, vêtu de haillons. Son visage avait quelque chose de hagard, ses yeux une expression sauvage. « MacGregor » se sentit sur le point d'éprouver pour lui de la pitié...

Puis il se souvint que cet homme avait voulu froidement, délibérément, tuer un cheval. Et il laissa flamber en lui la colère. Mais il n'eut même pas le temps d'ouvrir la bouche. Le maquignon, avec un regard mauvais, se ruait dans sa direction, le renversait sans ménagements, le maintenait cloué sur la chaussée, puis le redressait d'une secousse brutale.

Que voulait-il faire? « MacGregor » ne le sut jamais. Une voiture s'arrêta à quelques pas. Le conducteur en descendit. Il était vêtu d'un complet gris et coiffé d'un chapeau à larges bords. Sur le revers de son veston, brillait une étoile d'argent. Le shérif de Leesburg!

Saisi de panique, « MacGregor » s'arracha à

l'étreinte du maquignon et voulut fuir à travers champs. Il n'alla pas loin! Il se prit le pied dans une touffe d'herbe, tomba. Il voulut se relever. Une main vigoureuse l'en empêcha. La main du shérif! Et le jeune garçon entendit celui-ci demander :

« Cruikshank, qu'est-ce que vous fabriquiez? Que vouliez-vous à ce jeune homme?

— Il a détaché le cheval que je conduisais à la ville.

— Détaché?

— Oui. Le cheval galopait très bien. Comme il m'avait fait des difficultés pour monter dans la camionnette, je l'avais attaché derrière...

— Et ce jeune homme, dites-vous, l'a détaché? Où est-il, votre cheval?

— Est-ce que je sais? Perdu sans doute, à moins que je ne réussisse à le rattraper. Mais c'est peu probable. »

Le shérif s'adressa à « MacGregor » :

« C'est vrai que vous avez détaché son cheval? »

Comme il n'obtenait pas de réponse, il se détourna, examina la route. « MacGregor », toujours couché sur le sol, sentait peser sur lui le regard du maquignon. Cet homme avait compris que le jeune garçon avait peur du représentant de la justice et ne songeait qu'à prendre la fuite...

Le shérif refit face à Cruikshank.

« Tout cela ne tient pas debout. Pourquoi.... pour quelle raison aurait-il détaché votre cheval?

— Est-ce que je sais? répéta le maquignon. Il l'a détaché. Ça ne vous suffit pas? »

Lorsqu'il parlait, ses prunelles fuyantes allaient à droite, à gauche. Il avait eu souvent affaire au shérif. Il savait que celui-ci était contre lui, comme tout le monde d'ailleurs. Mais il finirait bien par avoir le dessus. Un jour, il dominerait la ville entière!

Le shérif libéra le jeune garçon. « MacGregor » réprima un sursaut de joie : « Je vais pouvoir fuir! Il ne faut pas perdre une seconde. J'irai jusqu'aux montagnes. Là, on ne me reprendra jamais. C'est ma seule chance... »

Cruikshank mit le shérif en garde :

« Surveillez-le. Sinon, il va vous filer entre les doigts!

— Rien à craindre. Quant à votre cheval, tenez, le voilà. »

Lentement, un groupe d'hommes et de chevaux s'avançaient sur la route. Et, derrière le groupe, cheminaient Gordon et son âne.

« MacGregor » réfléchit : « Maintenant, à quoi bon fuir? Gordon va me protéger... »

Le shérif ordonna soudain au maquignon :

« Ne bougez pas! Vous ne voudriez pas partir au

moment où l'on s'apprête à vous rendre votre cheval? »

« MacGregor » suivait du regard Cruikshank qui avait dû s'arrêter alors qu'il s'apprêtait déjà à remonter dans sa camionnette. Et il éprouva de nouveau une sorte de pitié pour cet homme. Dans les yeux du maquignon, il n'y avait plus de colère, mais une immense détresse...

Les cavaliers venaient de s'immobiliser à quelques pas. Ils entouraient le cheval de Cruikshank, aussi maigre que son maître et, de plus, fourbu, ensanglanté.

L'un des cavaliers mit pied à terre, jeta un regard furieux à Cruikshank, puis s'adressa au shérif :

« Tom, il faut que vous arrêtiez Cruikshank. Il s'est rendu coupable d'un véritable crime. Pas de doute, il voulait tuer son cheval. Je suis prêt à témoigner contre lui. Et je ne suis pas seul! Il y a aussi Mike, Joe et Slim. Sans ce jeune homme qui est là, près de vous, Cruikshank aurait réussi. Nous avons tout vu! »

Le maquignon voulut se ruer sur son accusateur. Mais on l'entoura, et le shérif, après lui avoir mis les menottes, l'entraîna malgré ses protestations et ses menaces de vengeance.

L'accusateur de Cruikshank était un homme

mince, d'aspect fragile. Il portait des lunettes. En
deux enjambées, il se rapprocha de « MacGregor ».

« Compliments! Tu as montré un fameux sang-
froid! »

« MacGregor » exprima d'un regard sa recon-
naissance. Au surplus, il n'avait plus rien à craindre
puisque Gordon venait de le rejoindre. Quelques
instants, il admira le cheval bai brun aux balzanes
blanches que montait l'accusateur de Cruikshank
et qu'un cow-boy tenait maintenant par la bride.

Gordon se pencha vers lui.

« C'est M. Allen... Tu sais bien, le propriétaire
du ranch dont je t'ai parlé. »

Le jeune garçon avait-il entendu? Il contemplait
le cheval aux balzanes blanches. Il essayait de se
souvenir. Cette tête agitée d'un mouvement incessant... ces oreilles pointées... Tout cela lui semblait
familier et pourtant lointain... lointain. Où... quand
avait-il...

Sa méditation fut interrompue par la voix d'Allen.

« Gordon me dit que tu cherches un emploi.
Sais-tu monter à cheval? As-tu déjà travaillé dans
un ranch?

— Je... je ne me... », balbutia « MacGregor ».
Gordon vola à son secours.

« Je suis sûr, Allen, qu'il se tirera très bien d'affaire. D'ailleurs, vous avez vu ? Il faut vraiment s'intéresser aux chevaux pour accomplir un exploit comme celui de tout à l'heure !

— En effet, c'est plus important que n'importe quoi, reconnut Allen. C'est même la seule chose qui compte. »

Puis, s'adressant au jeune garçon :

« Eh bien, c'est entendu, tu travailleras chez moi. Comment t'appelles-tu ? »

La réponse vint toute seule :

« MacGregor.

— Tu commenceras quand tu voudras. »

« MacGregor » sentit sur ses épaules les mains de Gordon qui le poussaient en avant, comme pour le stimuler. Mais cela n'était pas nécessaire. Le jeune garçon gardait les yeux fixés sur le magnifique cheval bai brun à balzanes blanches.

« Je commence maintenant, déclara-t-il. Je vous accompagne. »

Impatient d'être libéré, le cheval hennit. Et « MacGregor », en entendant ce hennissement, comprit qu'il venait de découvrir la piste au bout de laquelle il retrouverait peut-être sa mémoire...

...es yeux fixés sur le magnifique cheval bai brun à balzanes blanches.

CHAPITRE X

UN CRI DANS LA NUIT

Trois semaines plus tard, « MacGregor » était assis avec Mike et Joe autour d'un feu de camp. D'une oreille distraite, il écoutait les histoires que ses compagnons racontaient, pour la centième fois peut-être. Mike, Joe et Allen avaient fait leurs débuts dans l'Est des Etats-Unis. Petit à petit, en organisant çà et là des rodéos, ils s'étaient dirigés

vers l'Ouest. Maintenant, Joe et Mike travaillaient
au ranch acheté par Allen près de Leesburg.

C'était une heure avant le coucher du soleil. Les
trois hommes se trouvaient à plusieurs centaines
de mètres au-dessus du plateau, sur une prairie en
pente douce où paissaient quelques juments. A
plus d'un kilomètre de là, sur la même prairie,
broutaient les vaches. « MacGregor » se félicitait
d'avoir été désigné par Allen pour partager, avec
Mike et Joe, la surveillance des juments. Car il
aimait par-dessus tout les animaux de cette espèce.
Enfin, il savait que ceux qui soignent les chevaux,
les juments et les poulains, occupent dans un ranch
une place de choix.

Au-dessous de lui, à grande distance, se dé-
ployaient les bâtiments du ranch, la maison d'habitation, les corrals, les granges. Au centre du cor-
ral le plus vaste, s'élevait un nuage de poussière.
Ce nuage indiquait qu'Allen procédait à l'entraînement d'Eclair, le cheval bai brun à balzanes blanches qu'il avait lui-même élevé, dressé, et sur lequel
il fondait de grands espoirs. D'ailleurs, l'année précédente, Eclair n'avait-il pas déjà gagné ses galons
de champion?

Oui, trois semaines avaient passé. « MacGregor »
reverrait-il Gordon? « C'est indispensable, pensait-il, puisque c'est lui qui garde, dans un tiroir

de sa commode, l'argent volé. Cet argent, il faudra
que je le rende... quand je saurai à qui il appartient. Mais le saurai-je jamais? Me souviendrai-je?
La mémoire me reviendra-t-elle? »

Au physique, il allait de mieux en mieux. Ses
migraines se faisaient plus rares. Parfois, à condi-
tion de ne pas trop se fatiguer, il restait un jour
entier sans éprouver le moindre malaise.

Souvent, il évoquait Cruikshank. Le maquignon
avait été condamné à un mois de prison. « Mac-
Gregor » songeait à lui avec quelque pitié. Mais
Cruikshank avait martyrisé un cheval. Il n'était
donc pas digne de sympathie...

Car les chevaux, « MacGregor » le savait maintenant, le reliaient mystérieusement à son passé. Le
premier jour de son arrivée au ranch, on lui avait
donné un cheval à panser et à monter. Il se revoyait
en selle, immobile, un peu crispé, les mains sur l'encolure. A ce moment, il avait essayé de percer la
sombre barrière contre laquelle butait son esprit.
Il avait lutté, espéré... et échoué une fois encore.

« Ici, lui avait dit Allen, nous montons plus long.
Mais fais comme tu voudras. »

Sans s'en rendre compte, « MacGregor » avait
considérablement raccourci ses étrivières, et il se
tenait beaucoup plus penché en avant que les autres
cow-boys. Position rendue assez inconfortable par

la profondeur de la selle et la hauteur du pommeau...

Mais pourquoi, le lendemain, avait-il raccourci de nouveau ses étrivières? Pourquoi, trois semaines après son arrivée au ranch, s'obstinait-il à monter de la même façon que le premier jour? Oui, pourquoi?

Las de se poser des questions, il se leva de la couverture sur laquelle il était assis, alla prendre un seau et se dirigea vers une source qu'il avait repérée à une cinquantaine de mètres. Ce soir-là, c'était son tour de préparer le dîner. De plus, il devait assurer la garde des juments de minuit à quatre heures. La dernière bouchée avalée, il se glisserait dans son sac de couchage.

Quand il revint près du feu de camp, les deux cow-boys tournèrent vers lui leurs visages rougis par les flammes. Mike lui demanda :

« Qu'est-ce que tu nous donnes ce soir, Mac?
— Des steaks au riz.
— Avec des oignons, j'espère?
— Bien sûr. »

Dans le soir tombant, « MacGregor » prépara donc le dîner. Il ne lui déplaisait pas de faire la cuisine. Il y apportait même un certain talent. Tandis qu'il manipulait casseroles et serviettes, il entendit Mike qui l'interpellait :

« Dis donc, Mac, tout à fait entre nous, j'ai

l'impression qu'Allen a quelque chose derrière la
tête à ton sujet. L'an dernier, pour la course la
plus importante, comme pour les précédentes et
les suivantes d'ailleurs, il lui a fallu trouver des
jockeys professionnels pour monter Eclair. Et, chaque fois, il s'est plaint qu'il n'avait pas eu la main
heureuse. Il m'a même dit : « Tu te rends compte,
« Mike, entraîner un cheval pendant des années, lui
« donner le meilleur de soi-même, et être obligé de
« le confier à un inconnu ! »

« MacGregor » s'était immobilisé, une casserole à
la main.

« C'est pourquoi, reprit Mike, j'ai comme une
idée qu'Allen se propose de te faire monter Eclair
cette année aux courses de Preston. C'est tout juste
s'il ne me l'a pas dit carrément l'autre jour. En
tout cas, il m'a répété qu'un garçon comme toi,
qui monte très court et se tient courbé sur l'encolure, presque couché, est un jockey-né. Tu entends
bien : un jockey-né ! »

« MacGregor », sa casserole toujours à la main,
ne s'était pas retourné. Il avait l'impression qu'on
essayait de le replonger au cœur même de la vie.
Et il était ressaisi par une peur qui le glaçait jusqu'aux os : « Si je monte Eclair aux courses de
Preston... si je parais en public... il se peut que
quelqu'un me reconnaisse et raconte partout que

je suis le voleur recherché par la police de l'Utah! »

Comme il se l'était promis, il se coucha immédiatement après le dîner. Mais il ne dormit pas. Quelques minutes avant minuit, Joe lui mit la main sur l'épaule :

« Il est temps de te lever. »

Sans un mot, « MacGregor » s'exécuta. Il alla seller son cheval. Peu après, il sauta sur sa monture et se dirigea au pas vers l'endroit où pâturaient une vingtaine de juments. Là, il s'arrêta, les yeux et les oreilles aux aguets. Deux heures passèrent. Seuls quelques bruits nocturnes lui rappelaient qu'il avait mission de surveiller les juments et de les empêcher de s'éloigner. De temps à autre, pour les obliger à rester groupées, il tournait autour d'elles.

Soudain, il se rendit compte qu'elles avaient cessé de brouter. La tête droite, elles tendaient l'oreille, humaient l'air. Elles captaient sûrement une odeur inhabituelle. Il les observa quelques minutes, puis fit demi-tour et se dirigea au trot vers le camp, pour alerter Joe et Mike.

« Il se passe quelque chose de bizarre », dit-il après les avoir réveillés.

Sans se plaindre, les deux cow-boys sortirent de leurs sacs de couchage.

« MacGregor » n'attendit pas qu'ils fussent prêts.

Il revint vers l'endroit où les juments, toujours groupées et tournées vers l'immense forêt qui se dressait à l'ouest, donnaient les mêmes marques d'inquiétude.

Mike et Joe ne tardèrent pas à rejoindre « Mac-Gregor ». Trois cavaliers pouvaient sans peine protéger les juments. Il leur suffisait pour cela de contourner sans cesse le groupe qu'elles formaient. Mais les protéger de quel danger? Aucun œil humain ne pouvait distinguer ce qu'elles voyaient. Aucun odorat n'était assez subtil pour capter l'odeur dont elles connaissaient sûrement l'origine.

Tout à coup, elles s'agitèrent. Un cri venait de

percer le silence, un cri d'abord lointain, et de plus en plus net, de plus en plus aigu, qui se terminait par une note claire de trompette. Il semblait dire : « La forêt m'appartient. Que personne ne s'y aventure! » Il se répéta à trois ou quatre reprises, fut repris par tous les échos de la plaine et de la montagne, puis s'éteignit enfin.

Les juments, la tête toujours droite, se pressaient l'une contre l'autre. Au bout d'un quart d'heure seulement, elles se remirent à brouter.

« Qu'est-ce qui a bien pu pousser ce cri? demanda Mike.

— Un oiseau... peut-être un aigle », suggéra Joe. Il ajouta :

« Je crois plus prudent de rester ici jusqu'à l'aube. Ce cri pourrait recommencer. Il fait peur aux juments. Il ne faut pas qu'il leur arrive quelque chose, d'autant plus, ne l'oublions pas, qu'Allen vient demain matin. »

Les deux cow-boys, étonnés du silence de « MacGregor », se tournèrent vers lui. Le jeune garçon continuait à regarder fixement la forêt.

« A quoi penses-tu, Mac? fit Mike.

— C'est un cheval que nous avons entendu, répondit « MacGregor ». Un étalon sauvage...

— Tu entends, Joe, il plaisante, le petit! s'exclama Mike en éclatant de rire.

— Il ne plaisante peut-être pas, dit Joe. Mac, tu es sûr qu'il s'agit d'un cheval? Tu as entendu quelquefois un étalon hennir de cette façon? »

« MacGregor » laissa passer au moins trois minutes avant de répondre :

« Oui, j'ai entendu un cheval hennir de cette façon... il y a très, très longtemps... »

Il venait de faire un pas de plus sur la route de son passé. Il avait reconnu le hennissement caractéristique d'un étalon sauvage. Mais, ce hennissement, où l'avait-il déjà entendu?

« J'ai l'impression que tu te trompes, reprit Joe. En tout cas, voilà une histoire qui laissera Allen rêveur quand on la lui racontera.

— Pour moi, c'est un hibou, déclara Mike. J'en ai entendu des centaines. Je les connais bien! »

Le jeune garçon se contenta de lancer un coup d'œil à Mike. A quoi bon insister?

*
* *

Dès le premier rayon du soleil, Allen arriva au camp. Il montait Eclair. Le petit bai brun à balzanes blanches était encore plein de vigueur lorsqu'il atteignit le plateau. Il s'avançait d'un galop gracieux et secouait la tête, comme s'il avait été

mécontent que son cavalier se tînt presque debout
sur les étriers, ce qui ne manquait pas d'augmenter
la résistance du vent.

Allen le maintint au galop jusqu'au camp. Puis
il tira sans ménagements sur les rênes. Eclair fit
un arrêt si brusque qu'il plongea en avant.

« MacGregor », assez étonné par ce spectacle,
évoquait certaines paroles prononcées par Gordon :
« Bien sûr, le demi-sang est rapide sur les courtes
distances. Il est vif, facile à manœuvrer. Il a aussi
de la résistance, ce qui le rend précieux en montagne. Mais sur les hippodromes... Le vrai cheval
de course, c'est le pur-sang! »

« Mes enfants, bonjour! » dit Allen.

Il écouta d'une oreille distraite le récit que lui fit
Mike des événements de la nuit. Il ne devint atten-
tif que lorsque le cow-boy essaya de lui décrire le
cri qui avait paru inquiéter les juments.

« A mon avis, c'est un hibou, conclut Mike.

— Trop aigu pour un cri de hibou, intervint Joe.
Moi, je crois qu'il s'agissait d'un aigle. Quant à
Mac... »

Il se tourna vers le jeune garçon.

« Dis-lui toi-même. »

« MacGregor » se rendait compte que l'expression du maître du ranch avait changé, que ses sourcils se fronçaient. Allen savait bien qu'un simple

cri de hibou ou d'aigle ne suffisait pas à effrayer un groupe de juments...

« Eh bien, Mac, dit-il, je t'écoute. Qu'est-ce que tu penses de cette affaire ?

— C'est un étalon sauvage », déclara sans ambages le jeune garçon.

A ce mot, Allen accentua son froncement de sourcils et se redressa sur sa selle comme si on l'avait frappé.

« Mac, tu es sûr ? » demanda-t-il à mi-voix.

Mike s'exclama :

« C'est une blague ! Le pauvre petit a des visions ! Il n'y a pas de chevaux sauvages dans notre coin. Allen, vous le savez aussi bien que nous ! »

Allen regardait la forêt. Il enleva ses lunettes, les essuya, les remit.

« Personnellement, Mike, je n'en ai pas la certitude, dit-il. Dans la région où nous sommes, il y a un tas de choses que nous ignorons. »

Mike voulut invoquer l'autorité de Hank Larom, l'homme qui assurait la surveillance des bestiaux du ranch :

« Hank Larom serait au courant, lui ! Sans compter les gens qui vivent dans les parages depuis plus longtemps que nous. Bien souvent, ils nous ont raconté que les derniers mustangs avaient été chassés très loin, dans la montagne, et qu'ils y étaient morts de faim ou dévorés par les loups. »

Allen continuait à scruter la forêt.

« Ce n'est pas aux mustangs que je pense, Mike...

— Je ne vois pas pourquoi vous vous faites de la bile. Nous sommes là pour veiller au grain. N'est-ce pas, Joe?

— Hier, reprit Allen, j'ai reçu une lettre d'un ami qui habite Pueblo, à environ quatre-vingts kilomètres d'ici. Il me dit qu'un cheval sauvage a attiré deux de ses juments. »

De nouveau, Mike éclata de rire :

« Elles se sont sans doute tout bonnement

enfuies. Votre ami, Allen, doit avoir des cow-boys
moins expérimentés que nous. Voilà tout.

— Erreur, Mike. Il a assisté à la scène.

— Il aurait vu le cheval sauvage ? demanda Joe.

— Oui. En réalité, il ne l'a qu'aperçu, car il
faisait nuit. Selon lui, il s'agit d'un animal de haute
taille et d'un noir de charbon. Il a entraîné les
juments dans son sillage. Personne n'a pu les rattraper.

— C'est une blague ! s'exclama Mike.

— Ai-je l'air de plaisanter ? » répliqua Allen
avec irritation.

Il se retourna vers la forêt.

« Cet étalon pourrait venir rôder dans nos
parages. Qui sait ? Il s'y trouve peut-être déjà... »

Après plusieurs minutes de silence, le maître du
ranch fit signe à « MacGregor » de s'approcher.
Puis :

« Mac, tu vas aller là-bas, sur la crête, près de la
forêt. Tu y resteras toute la journée. Si tu vois ce
fameux étalon... ou si tu relèves seulement ses
empreintes, je veux être prévenu sans le moindre
retard. Ainsi, je pourrai aviser. »

**
*

Une heure plus tard, le jeune garçon gravissait
à cheval la pente de la crête. Lorsqu'il eut atteint

le sommet, il se trouva à la lisière de la forêt, derrière laquelle se dressaient, à grande distance, des pics majestueux. Le vent chuchotait dans les arbres.

Les dernières instructions d'Allen avaient été les suivantes :

« Tu iras dans la direction d'où, selon toi, le cri pouvait venir. Si tu trouves des empreintes ou un signe quelconque, tu reviens et tu me mets au courant. Demain, nous irons à la poursuite de cet intrus... »

Tout en cheminant, « MacGregor » pensait : « Il n'y a pas de doute, c'est bien un étalon que j'ai entendu la nuit dernière. Mais pourquoi en suis-je si certain ? »

Il pénétra dans la forêt où le sol continuait à s'élever en pente douce. A sa hanche pendait la gaine contenant un pistolet. Mais à quoi bon une arme de ce genre ? Il se savait aussi incapable de s'en servir que du lasso accroché au pommeau de sa selle. Il ne pouvait compter que sur son habileté de cavalier et sur l'intelligence du cheval qui le portait.

Au bout d'une demi-heure environ, les arbres se firent moins nombreux. Le jeune garçon s'avançait maintenant sur un sol dénudé où quelques rochers perçaient des broussailles desséchées. Petit à petit, il se rapprochait des montagnes. Enfin, il pénétra dans un défilé étroit qui serpentait entre de vertigineuses parois de granit.

Il arrêta son cheval. N'était-il pas allé trop loin? N'avait-il pas mal interprété les ordres d'Allen? « Bah! tant pis, décida-t-il. Allons jusqu'au bout... »

Il continua donc de s'enfoncer dans le défilé. Mais, soudain, il dut s'arrêter de nouveau. Il venait d'arriver au bord d'une sorte de précipice. Et, au fond de ce précipice, se déployait une vallée profonde, un cañon. Longtemps, il l'examina, en fouilla du regard les moindres recoins.

Au moment où il fallait faire demi-tour, il se souvint qu'il n'avait pas jeté le moindre coup d'œil au sentier qui dévalait jusqu'au fond de la vallée. Et brusquement, à ses pieds, à l'endroit même où s'amorçait ce sentier, il découvrit ce qu'il avait cherché en vain jusque-là : des empreintes! Elles indiquaient qu'un cheval employait cet itinéraire, aussi bien pour monter de la vallée que pour y descendre. S'il s'agissait de l'étalon sauvage, pourquoi n'était-il pas accompagné de sa harde?

« MacGregor » mit pied à terre. Longuement, il contempla les empreintes. Elles le fascinaient, comme une écriture qu'il ne savait plus déchiffrer. Presque sans y penser, en tenant son cheval par la bride, il se mit à descendre le sentier.

Il ne tarda pas à se rendre compte que la vallée était morcelée en plusieurs vallées secondaires, séparées les unes des autres par des murailles naturelles d'une couleur jaunâtre...

Tout en continuant à descendre le sentier, il se demandait : « Pourquoi ne suis-je pas resté là haut? Ma mission était remplie, puisque j'avais trouvé des empreintes. Il y a quelque chose qui m'attire dans cette vallée. Mais quoi? Quoi? »

Il atteignit bientôt une surface herbeuse que de nombreux chevaux avaient sûrement foulée. Il attacha sa monture à un arbre, poursuivit sa route en suivant les empreintes. Il longea l'une des murailles jaunâtres. Arrivé à son extrémité, il tourna à droite et, brusquement, s'arrêta. La harde était là, à cent mètres environ, enfermée dans une sorte de cul-de-sac... A ce spectacle, sa première pensée fut : « Si Allen et ses cow-boys étaient à ma place, c'en serait fini pour tous ces animaux de connaître le bonheur de vivre en liberté! »

Mais l'étalon sauvage lui-même, le chef de la harde, où était-il?

« MacGregor » le chercha du regard en se demandant : « Où peut-il bien se cacher? Comment se fait-il qu'il ne veille pas sur les siens, qu'il ne monte pas la garde? Il aurait dû déjà avertir les autres de ma présence. Mais peut-être n'est-il pas dans la vallée. Peut-être... »

Il s'immobilisa soudain. Il venait de découvrir l'étalon sauvage à courte distance, dans l'ombre projetée par la muraille, à cent mètres de la harde.

Un animal superbe, noir comme la nuit, de taille gigantesque, au corps musclé, aux jambes longues et déliées. Sa crinière était abondante, sa queue traînait presque jusqu'au sol. Sa tête, petite, se tenait très droite, et ses prunelles étincelantes semblaient rivées sur le nouveau venu.

Le jeune garçon n'osait faire un mouvement. Il recommença à se poser des questions. Depuis combien de temps l'étalon sauvage était-il à cet endroit? Pourquoi n'avait-il pas donné l'alerte à sa harde? Pourquoi ne bougeait-il pas, ne cherchait-il pas à s'échapper?

« MacGregor » sentait ses mains trembler, ses ongles s'enfoncer dans la chair de ses cuisses. Et il lui semblait entendre une voix qui montait des profondeurs obscures de sa mémoire : « Sois patient... attends, attends! »

Enfin, l'étalon sauvage s'anima, fit un pas en avant et apparut dans une zone qui restait éclairée par le soleil, car le soir n'allait pas tarder à tomber. Il fit encore quelques pas, puis s'arrêta à un mètre du jeune garçon.

Celui-ci allongea le bras, toucha du bout des doigts les naseaux frémissants qui se tendaient vers lui. En même temps, s'élevait de ses lèvres un murmure caressant formé de mots sans suite et dénués de sens, mais que l'étalon sauvage, lui, devait comprendre, car il abaissa un peu plus sa tête si fière.

« MacGregor » tremblait plus fort que jamais. Pourquoi ce tourbillon au fond de son être? Pourquoi ce murmure qui jaillissait de sa bouche en un flot continu et que l'étalon semblait si bien comprendre? Tout cela, il avait dû le faire bien des fois auparavant...

« Sois patient... attends... attends... », lui répétait sa voix intérieure.

Attendre? Combien d'heures, de jours, de semaines peut-être? Quand posséderait-il enfin sur lui-même certaines précisions qui lui échappaient depuis si longtemps?

CHAPITRE XI

CAVALIER SOLITAIRE

Il avait au moins une certitude : ce magnifique étalon sauvage lui avait appartenu. « Sinon, se disait-il, il ne serait pas venu à moi, il n'aurait pas flairé ma main. » Des questions l'obsédaient : « Quand m'a-t-il appartenu? Où? Il y a combien de temps? »

En tout cas, il avait dû le voir souvent, car il avait

l'impression de le reconnaître. Il était sûrement familiarisé de longue date avec cette tête fine, ces oreilles petites et mobiles, ces naseaux larges et ces énormes prunelles sombres qui semblaient le dévisager, cette encolure robuste, ce poitrail musclé, ces reins puissants, ces jambes longues et nerveuses...

Se tromper? Impossible. Sa vue et son toucher ne pouvaient commettre une erreur aussi grossière. Alors, pourquoi sa mémoire s'obstinait-elle à demeurer inerte?

La nuit avait envahi la vallée. Pourtant, « Mac-Gregor » restait près de l'étalon. Ses mains continuaient à palper l'encolure et les flancs poussiéreux. Il aurait voulu pouvoir les étriller, les brosser, leur rendre un lustre éclatant. Cela aussi, il l'avait fait souvent dans le passé...

L'air devenait froid. Le vent s'était élevé, agitait la crinière de l'étalon et la mèche épaisse de son front. Quelques courts hennissements se firent entendre. L'étalon se tourna vers l'extrémité de la vallée, là où était rassemblée sa harde. Mais il resta près du jeune garçon.

Il y eut aussi un hennissement isolé, suivi d'un bruit de sabots grattant le sol. « MacGregor » se souvint alors du cheval qu'il avait attaché à un arbre mort.

L'étalon avait frémi, tête dressée, prunelles soudain étincelantes. Il esquissa un mouvement pour se détourner et foncer peut-être vers l'endroit où le cheval attendait. Mais il s'immobilisa lorsque le jeune garçon lui parla ce langage qu'ils pouvaient seuls comprendre l'un et l'autre : un murmure composé d'onomatopées mystérieuses...

Cependant, l'étalon ne put s'empêcher de lancer son cri de défi, qui ressemblait aux notes aiguës d'une trompette. Et il attendit, toujours frémissant, prêt à combattre. Comme aucune réponse ne lui parvenait, il se calma peu à peu et ne devint plus sensible qu'au murmure continu de son compagnon.

A la fin, il s'éloigna, mais ce fut pour rejoindre sa harde.

« MacGregor » resta seul dans la pénombre. Voyons, qu'allait-il faire? Il y avait, dans l'une de ses sacoches de selle, de l'avoine pour son cheval, et, dans l'autre, des biscuits pour lui-même. Demain...

Eh bien, demain, il regagnerait le ranch. Il dirait à Allen : « Je n'ai rien trouvé, pas la moindre empreinte... » Puis, par un moyen quelconque, il reviendrait dans cette vallée. Car là était son passé. Grâce à l'étalon, il apprendrait ce qu'il voulait savoir. Toutefois, pour obtenir ce résultat, il lui fallait du temps.

Il alla jusqu'à l'endroit où était attaché son cheval. Il le dessella, le mena boire à une source et lui donna de l'avoine. Ensuite, il le rattacha à l'arbre mort et reprit le chemin de l'autre extrémité de la vallée. Il s'arrêta à l'endroit où l'étalon l'avait quitté, alluma un feu. Il mangea quelques biscuits. Comme les heures passaient lentement! Demain, peut-être, la porte de sa mémoire s'ouvrirait et un flot de lumière éclairerait sa vie antérieure.

Au cours de la nuit, il ne dormit que par intermittence et quelques minutes chaque fois. A plusieurs reprises, l'étalon vint lui faire visite. Sa silhouette gigantesque, à la flamme du feu de camp, se dessinait sur la plus proche muraille rocheuse. Le jeune garçon ne se rassasiait pas de le contempler. Quand il ne pouvait le voir, il prêtait l'oreille aux battements rythmiques de ses sabots. Jamais il n'avait aimé un cheval comme il aimait celui-là. Comment aurait-il cédé à un sommeil véritable? Il sentait que le voisinage de l'étalon alimentait en lui des sentiments qui commençaient à le relier à son passé. « Bientôt, se répétait-il avec obstination, je saurai tout! »

Quand la faible clarté de l'aube se glissa dans la vallée, « MacGregor » attendit le retour de l'étalon. Et, lorsque celui-ci apparut, il était si beau que le jeune garçon faillit pousser un cri d'admiration.

Il s'était dit : « Je lui jetterai un seul regard, le dernier. Puis je m'en irai. » Mais, le moment venu, il ne se sentit pas le courage de partir. Il était persuadé que la seule présence du superbe animal suffirait, par une sorte de miracle, à déchirer le sombre voile derrière lequel il se débattait.

Avec un sanglot, il se leva, jeta ses bras autour de l'encolure de l'étalon et attendit. Mais, une fois encore, rien ne se produisit. Alors, il perdit patience, céda à la colère qui grondait en lui...

Il ne s'expliqua jamais comment il avait pu sauter sur le dos de l'étalon. Il savait seulement qu'il venait de renouveler un geste qu'il avait

accompli maintes fois auparavant. Il enfouissait
son visage dans l'opulente crinière et se couchait
sur sa monture, comme pour se cacher d'un monde
qui le repoussait.

« Plus vite! Plus vite ! Plus vite! » répétait-il.

Lancé au grand galop, l'étalon traversa en trombe
sa harde épouvantée. Toujours à la même allure,
« MacGregor » le fit passer d'une vallée à l'autre.
Cette course folle se prolongea pendant plusieurs
heures.

Le soleil était haut dans le ciel lorsque le jeune
garçon revint à la première vallée. Il se sentait
exalté, tendu, heureux. Il avait l'impression que son
sang bouillait, comme celui de sa monture. Maintenant, il savait beaucoup de choses... mais encore
trop peu. Par exemple, sa personnalité se confon-
dait avec celle de ce cheval sauvage. Pourquoi en
était-il ainsi? Et pourquoi ignorait-il son propre
nom et celui de l'étalon? D'où venaient-ils l'un et
l'autre? Il avait monté bien des fois ce fougueux
animal. Mais où et quand?

Il lui semblait que sa tête allait éclater. Une
nouvelle migraine : voilà ce qu'il avait gagné dans
cette furieuse galopade! Il mit pied à terre et
porta les mains à son front.

Il faillit céder au découragement : « Je ne suis
pas guéri! » Il se ressaisit en pensant qu'avec une

longue, très longue patience, il finirait bien par se délivrer de ses migraines et par retrouver la mémoire.

Il caressa l'étalon, lui dit de retourner près de sa harde : « Mais tu me reverras bientôt. Attends-moi. » Il le suivit du regard jusqu'à ce qu'il eût disparu. Puis il se dirigea vers l'endroit où l'attendait le cheval qui l'avait amené jusque-là. A quelle heure arriverait-il au ranch? Sans doute à la tombée de la nuit. Et il avait déjà près de vingt-quatre heures de retard! Inquiet, il pressa le pas. Peut-être Allen et ses hommes s'étaient-ils déjà mis à sa recherche. Et que se passerait-il s'ils découvraient les empreintes de l'étalon sauvage?

Il courait presque lorsqu'il atteignit son cheval. De ses doigts rendus maladroits par la précipitation, il le détacha, et il avait le pied dans l'étrier quand il aperçut toute une file de cavaliers qui descendaient le sentier du défilé.

A leur tête s'avançait Allen montant Eclair, son bai brun.

CHAPITRE XII

LES CHASSEURS

« MacGregor » sauta en selle et alla vers eux.
« Tout va s'arranger, pensait-il. En somme,
ils ne cherchent que moi. Je vais rentrer au ranch
avec eux... » Mais il ne tarda pas à se rendre
compte de son erreur.

Allen avait la même expression soucieuse que la
veille. Mike et Joe montraient des physionomies

lasses et perplexes. Cependant, le jeune garçon n'avait d'yeux que pour les hommes qui les accompagnaient. Ceux-ci étaient ce qu'on appelait des « chasseurs », des spécialistes de la poursuite des chevaux sauvages. « MacGregor » ne leur jeta qu'un regard, et il pensa avec angoisse : « Ils ont trouvé les empreintes de l'étalon! »

Il examina avec plus de soin Hank Larom, le préposé du ranch à la surveillance des bestiaux. Il avait souvent entendu vanter ses exploits. Larom était un chasseur de première force. Il poursuivait les mustangs, leur tendait des pièges, les poussait vers des précipices. Il ne tirait aucun profit de cette chasse. Il la pratiquait comme un sport. De tous les hommes qui entouraient Allen, c'était sans doute lui le plus redoutable.

« Où est-il, MacGregor? demanda le maître du ranch.

— Il est parti loin d'ici, avec sa harde. »

Si Mike et Joe avaient seuls accompagné Allen, « MacGregor » aurait été cru sur parole. Mais il y avait Hank Larom.

« Quand nous avons vu que tu ne revenais pas, reprit Allen, nous sommes partis à ta recherche. Nous étions certains que tu avais trouvé quelque chose... »

Larom examinait la vallée. Pas le moindre doute,

il savait! Il montait un cheval que le jeune garçon voyait pour la première fois, un cheval maigre, osseux, probablement un ancien mustang.

S'apercevant que « MacGregor » avait les yeux fixés sur sa monture, Larom déclara :

« Tu es étonné, hein? Spooky est un cheval sauvage que j'ai dressé moi-même. Il n'est pas du tout d'accord avec toi au sujet de l'étalon! Il connaît bien ses semblables. Il a une façon personnelle de les repérer. N'est-ce pas, Spooky? »

Soudain, il ajouta :

« Allons un peu voir ce qu'il y a là-bas! »

Les autres « chasseurs » s'avancèrent. Le jeune garçon voulut les arrêter. Allen lui demanda avec rudesse :

« Qu'est-ce qui te prend, Mac? Et d'abord pourquoi m'as-tu menti? Tu vas rester avec Mike et Joe! »

Le jeune garçon fut bien obligé d'obéir. Il regarda les « chasseurs » s'éloigner. Comme il regrettait d'avoir incité l'étalon à l'attendre dans la vallée! C'était la même chose que s'il l'avait lui-même enfermé dans une cage!

Il se laissa glisser de sa selle et suivit à pied les « chasseurs ». Peu après, Allen le rejoignit :

« Mais enfin, Mac, qu'est-ce qui te prend? » répéta-t-il.

Le jeune garçon ne répondit pas. Les « chasseurs » s'étaient arrêtés à une distance assez courte et, rassemblés autour de Larom, ils écoutaient ses ordres. Bientôt, ils repartirent, disparurent à un tournant. Et, brusquement, toute la vallée retentit des hennissements claironnants de l'étalon !

« MacGregor » s'élança, tandis que le cheval d'Allen trottait à son côté. Puis il s'immobilisa. A une vingtaine de mètres, les « chasseurs » formaient, en travers de la vallée, un cordon aussi infranchissable qu'une muraille. Un peu plus loin, Larom et deux de ses hommes interdisaient l'accès du défilé.

Le piège était prêt à fonctionner. L'étalon se tenait devant sa harde. Il dressait la tête, hennissait. Il avait sûrement compris qu'on ne lui laissait aucune chance de s'échapper.

Le jeune garçon s'approcha de Larom, lequel était en train de dire à l'un de ses compagnons qui se trouvait presque botte à botte avec lui :

« Russ, regarde-moi cet étalon ! Je n'en ai jamais vu de semblable, même dans mes rêves les plus fous ! Il y a quarante ans que je chasse les chevaux sauvages. Mais celui-là, quelle splendeur ! Et, avec ça, rusé ! Il sait que nous le tenons. Que fait-il ? Il attend. Il n'ignore pas que nous allons essayer de l'attraper. »

Russ laissa passer une minute avant de répondre :

« L'attraper? Je ne crois pas que ce soit possible, surtout avec les chevaux que nous montons. Le tien lui-même a peur. Il n'osera pas se frotter à ce monstre, il n'est pas fou! »

Ce que disait Russ était vrai aussi des autres chevaux. Tous tremblaient devant l'étalon noir.

« Ce qu'il faut, reprit Russ, c'est le séparer de sa harde. Nous pourrions sans trop de peine isoler les juments, par exemple...

— Les juments ne nous intéressent pas, interrompit Larom. C'est l'étalon que nous voulons. Je resterai ici jusqu'à ce que nous le tenions!

— C'est un peu comme si nous nous apprêtions à lutter à mains nues contre un puma, fit observer Russ. Il ne faut pas que nous comptions sur nos chevaux. Ils n'ont pas envie d'être massacrés!

— Alors, j'y vais seul », décida Larom.

Russ continuait à regarder l'étalon sauvage :

« Dans ces conditions, Hank, c'est toi qui seras tué. Et il ne te ratera pas!

— Je ne veux pas qu'il nous brûle la politesse », dit Larom.

Et, pour la première fois, il posa la main sur la crosse de fusil accroché à sa selle. En voyant ce geste, « MacGregor » tressaillit. Allen s'approcha :

« Hank, nous prendrons cet étalon vivant. Ou

bien nous le laisserons aller librement. Je ne veux
pas que nous nous débarrassions de lui de cette
façon. »

Larom continuait à surveiller l'étalon.

« Mais non, patron, protesta-t-il, je n'ai pas l'intention de le tuer! Je pensais simplement à...
l'égratigner. »

Russ expliqua à Allen :

« Ce qu'il appelle égratigner, c'est frôler l'encolure. La blessure est insignifiante et peu doulou-
reuse. Hank est un des rares hommes capables de
faire ça à la perfection. Je m'en porte garant. »

« MacGregor », le visage agité d'un tic nerveux,
s'approchait pas à pas du fusil de Larom : « Personne n'égratignera mon cheval! songeait-il. Larom
n'a sans doute pas chassé de chevaux sauvages
depuis des années. Est-il encore assez adroit pour
égratigner, comme il le promet? »

Soudain, Larom s'écria :

« Attention, le voilà! »

Chaque cow-boy maîtrisa d'une main son cheval
effrayé et, de l'autre, saisit son fusil, prêt à tirer en
l'air pour briser l'élan de l'étalon sauvage, si celui-ci
avait l'intention de s'échapper de la vallée.

Il se rapprochait sans cesse. Le roulement de ses
sabots se faisait plus clair, plus rapide. Les cow-
boys surveillaient ses moindres mouvements, et

chacun d'eux pensait : « Ah! s'il pouvait m'appartenir! » Cependant, à une exception près, tous estimaient cela impossible. Et puis Larom seul l'admirait assez pour risquer sa vie dans une semblable capture.

L'étalon s'arrêta à courte distance. Planté sur ses jambes raidies, il parut examiner les cow-boys l'un après l'autre. Quand il eut découvert parmi eux « MacGregor », il hennit, piétina le sol. Chaque muscle de son corps se dessinait au soleil. Sa tête se balançait, faisait voler sa crinière. De nouveau, il hennit, ses yeux toujours fixés sur le jeune garçon.

Russ dit à Larom :

« Prends garde, Hank. Il est dangereux. Il te tuera si tu l'affrontes seul. Si nous nous y mettons tous, il passera entre nous et s'échappera avec sa harde. Et nous ne le retrouverons pas. Il est trop rapide pour nos chevaux.

— Je sais, je sais..., murmura Larom. Pour que nous puissions nous en approcher, il faudrait que je l'égratigne. Mais si au lieu de l'égratigner, je le... je crois bien, Russ, que je ne me le pardonnerais jamais!

— Alors, vas-y maintenant, Hank. A cinquante mètres environ, tu ne devrais pas le manquer.

— Tu as raison, Russ. C'est le moment. »

Larom mit pied à terre et tendit ses rênes à Russ.

Mais il ne put épauler son fusil. « MacGregor » en avait saisi le canon, l'abaissait vers le sol en disant : « Ne faites rien. Je vais vous l'amener. »

Sans laisser à Larom le temps de réagir, il s'avança vers l'étalon, sous les regards incrédules des cow-boys. Larom ne fut pas long à comprendre que le jeune garçon ne courait aucun danger. En effet, il n'y avait plus de folie meurtrière ni de sauvagerie dans les larges yeux de l'étalon. « MacGregor » lui prit la tête à deux mains, la pressa contre sa poitrine, la caressa. Devant ce spectacle extraordinaire, les cow-boys restaient bouche bée. A la fin, « MacGregor » revint vers eux.

« Donnez-moi une bride, dit-il. Ensuite, lui et moi, nous vous accompagnerons. »

Larom prit une bride de rechange dans l'une de ses sacoches de selle et, sans un mot, la lui tendit.

Un peu plus loin, après un tournant de la vallée, les chevaux et les juments de la harde dressaient la tête et, par des hennissements, appelaient leur chef. L'étalon se tourna vers eux, mais ne tenta pas de les rejoindre. Sans lui, ils perdraient leur liberté et retourneraient à l'existence domestique qu'ils avaient abandonnée sur son ordre. Peut-être même, attirés par le désir de manger à leur faim, de vivre dans de confortables écuries et de recevoir chaque jour des soins attentifs, allaient-ils tout de suite emboîter le pas aux montures des cow-boys et prendre avec elles le chemin du ranch...

L'étalon pivota sur lui-même lorsqu'il entendit le jeune garçon revenir dans sa direction. Lui aussi était prêt à regagner le monde civilisé.

Après avoir regardé « MacGregor » mettre la bride en place, les cow-boys rompirent la ligne qu'ils formaient en travers de la vallée, afin de laisser passer l'étalon et le jeune garçon. Allen prit la tête de la colonne. Hank Larom, d'un signe, invita plusieurs cow-boys à aller chercher les juments et les chevaux de la harde.

Russ, qui marchait botte à botte avec Larom, lui dit à mi-voix :

« C'est la première fois que nous voyons une chose semblable, n'est-ce pas, Hank ?

— Oui, la première fois.

— Tu te rends compte... un étalon sauvage ! Comment ce gamin a-t-il pu en venir à bout ? »

Larom haussa les épaules.

« A mon avis, il a dû l'apprivoiser avant notre arrivée dans la vallée.

— En une seule nuit ?

— Sans le moindre doute. Il n'a pu le voir pour la première fois qu'hier au soir.

— Alors, je dis qu'il y a là-dedans quelque chose de pas naturel !

— Tu as raison, Russ. Il arrive que l'extraordinaire se produise quelquefois. Je donnerais dix ans de ma vie pour que ça m'arrive à moi. Tu entends, Russ, dix ans!

— Avant de dire ça, Hank, tu ferais bien d'attendre de savoir comment les choses se termineront pour « MacGregor ». Jusqu'à plus ample informé, je préfère être à ma place qu'à la sienne. Et comment! »

CHAPITRE XIII

SOUPÇONS

L'ÉTALON noir était au ranch depuis une semaine déjà. De tous les enclos, on lui avait attribué le plus vaste. « MacGregor » seul s'occupait de lui. Les cow-boys n'osaient s'en approcher. A leurs yeux, il s'agissait d'un « animal qui ne serait jamais vraiment dressé ».

Pour « MacGregor », cet arrangement était des

plus satisfaisants. « De cette façon, se répétait-il,
je garde mon cheval, et j'ai tout le temps de comprendre enfin ce qui m'a échappé jusqu'ici... »

Un matin, comme il venait de brosser l'étalon, il
entendit :

« Mac! Mac! »

Il se retourna et vit Allen qui, accoudé à la barrière de l'enclos, lui faisait signe de le rejoindre.

En se dirigeant vers la barrière, il éprouvait une
certaine appréhension. Il savait que, sans l'inter-
vention de Larom, Allen l'aurait mis à la porte une
semaine auparavant pour lui avoir menti au sujet
de l'étalon lorsque le maître du ranch et ses cow-
boys étaient arrivés dans la vallée...

« Bonjour, patron », dit le jeune garçon.

Allen ne répondit pas. De sa main sèche et nerveuse, il enleva son chapeau et contempla un moment l'étalon qui se tenait immobile au milieu de
l'enclos. A la fin, il articula :

« Tu l'as bien soigné. Il est superbe!

— Grâce au pansage, j'ai pu lui rendre sa robe,
dit « MacGregor ». Mais je ne peux effacer les cicatrices des blessures qu'il a reçues quand il vivait
dans la montagne.

— Bah! tant pis pour les cicatrices. »

Dans l'enclos de gauche, on avait rassemblé la
harde. Les chevaux et les juments allaient et

venaient d'un pas tranquille. L'enclos de droite était occupé par Eclair qui, lui, galopait en secouant la tête. Allen suivit un instant du regard son précieux demi-sang, puis déclara :

« Ton étalon noir est un bel animal, mais mon Eclair vaut infiniment mieux.

— A vos yeux, patron, répliqua le jeune garçon sans hausser la voix. Tout dépend de la personnalité de celui qui examine un cheval et surtout de ce qu'il en attend. »

Allen laissa passer presque une minute avant de répondre :

« Oui, je crois que tu as raison. »

Puis, pointant soudain vers le visage du jeune garçon un index osseux :

« Les gens qui comptent dans mon métier, ce sont les éleveurs, ceux qui forment des chevaux depuis leur naissance jusqu'à leur maturité. Ils sont souvent déçus. Ils ont beau prendre toutes les précautions, ils n'obtiennent parfois que des poulains sans qualités. Cet étalon noir, par exemple... C'est un animal sauvage. Ses fils seront peut-être indomptables, ne vaudront peut-être guère mieux que les mustangs qui ont rôdé dans notre région pendant des siècles.

— Si vous n'en voulez pas, dit vivement « MacGregor », je peux très bien le garder pour moi. »

Allen dévisagea pendant quelques secondes son jeune interlocuteur avant de décider :

« Non, Mac. Du moins pas pour l'instant.

— Mais... si, par hasard... plus tard... vous estimez que...

— Bien sûr, bien sûr. De nous tous... sauf Hank, et encore! tu es le seul à pouvoir le toucher, le soigner... »

Le maître du ranch remit son chapeau :

« Parlons de choses sérieuses. Tu sais qu'il y a des courses à Preston la semaine prochaine, des courses importantes auxquelles prendront part des chevaux venant de Californie, du Texas, du Nevada, de l'Utah, du Nouveau-Mexique et du Colorado. C'est à Preston qu'Eclair a gagné un prix l'année dernière. J'ai l'intention, cette année encore, de l'engager dans une ou plusieurs épreuves. Et puis, à quoi bon tourner autour du pot! Je voudrais que tu le montes. »

Allen avait prononcé ces derniers mots d'une voix vibrante, avec un large sourire. Il changea d'expression dès qu'il eut constaté que le visage du jeune garçon demeurait sombre et morne.

« Pourtant, reprit-il avec gêne, ce que je t'offre là... c'est une chance exceptionnelle. L'an passé, à Preston, il y avait plus de dix mille spectateurs. Si tu montes Eclair d'une façon satisfaisante, tu pourras obtenir à l'avenir tout ce que tu exigeras, non seulement de moi-même, mais aussi des nombreux propriétaires qui sont toujours à la recherche de bons jockeys. Et, tu sais, les courses, c'est de l'argent, beaucoup d'argent! Tu as donc la possibilité de... »

Il s'arrêta brusquement, puis ajouta :

« Mais peut-être, comme moi, es-tu indifférent à l'argent. S'il en est ainsi, j'ai été bien maladroit. Je vais donc te faire une autre proposition. J'ai pu constater que tu montes à la perfection et que tu connais à fond les chevaux. Si, la semaine prochaine, tu conduis Eclair à la victoire, je te prends comme associé pour mon élevage. Voyons, qu'en dis-tu? »

Le visage de « MacGregor » gardait la même expression fermée.

« Eclair est entraîné par Hank, insista Allen. Il est donc prêt à courir. Il ne te reste plus qu'à le monter un peu chaque jour pour t'habituer à lui. Je suis certain que tu y trouveras du plaisir! »

Le jeune garçon répondit enfin d'une voix blanche, sans presque remuer les lèvres :

« Moi aussi, patron, j'en suis certain. Mais je ne peux le monter. Non, je ne peux pas. »

Ce fut au tour d'Allen de changer d'expression. Plus la moindre trace de sourire, mais un froncement de sourcils qui trahissait mécontentement et stupeur. Le maître du ranch pensait : « Je lui fais un merveilleux cadeau, et il le repousse! » Comment aurait-il deviné ce qui se passait dans l'esprit de « MacGregor » : « Courir devant dix mille personnes? Impossible! Il suffirait qu'une seule me reconnaisse et crie : « C'est un voleur! » Je serais obligé de recommencer à fuir! »

Avec brusquerie, Allen déclara en se détournant : « A ton aise, Mac! »

Et, avant de s'éloigner de la barrière :

« Si on me cherche, tu diras que je suis en ville. Je reviendrai au cours de l'après-midi. »

*
* *

A Leesburg, l'âne Goldie était attaché à l'extérieur du bâtiment où se trouvaient le drugstore et la poste. Les oreilles tombantes, les yeux fermés, il ne prêtait aucune attention à quelques chétifs poneys indiens qui, attelés à des charrettes misérables, attendaient à vingt mètres de lui. Il ne semblait même pas entendre le tintamarre du juke-box dont s'enorgueillissait le restaurant installé presque à l'extrémité de la rue.

Lorsque Gordon sortit du drugstore, il portait un paquet qui paraissait assez lourd. Il le déposa devant Goldie en disant :

« Je vais prendre un café, puis je reviens. Je ne te mets pas ce paquet sur le dos pour le moment, mais je te le confie. »

Goldie ne souleva même pas ses paupières.

Gordon se dirigea vers le restaurant, poussa la porte, entra. Désirant boire son café en toute tranquillité, il souhaitait qu'on ne continuât pas à alimenter en pièces de monnaie « ce maudit juke-box ». Plusieurs hommes étaient accoudés au comptoir. Gordon leur adressa au passage un signe de la main. Il se dirigeait vers l'une des petites tables, lorsqu'il vit Cruikshank juché sur un tabouret, au bout du comptoir. Il le salua d'un mouvement de tête. Cruikshank lui rendit son salut.

Gordon s'assit à son tour. Il trouva, sur la petite table, un journal vieux d'une semaine, laissé par un client précédent, un journal de Phœnix, capitale de l'Arizona. N'étant pas intéressé par les nouvelles, il le feuilleta d'un doigt distrait. « Ce qu'il me faudrait, songeait-il, ce sont des mots croisés... » Soudain, son regard s'éclaira. Il venait de dénicher une grille au bas de l'une des pages.

Harry, le serveur, s'approcha :

« Qu'est-ce que je vous sers, monsieur Gordon ?

— Un café, Harry. Et peut-être, pourquoi pas ? deux œufs sur le plat... Vous n'auriez pas un crayon ?

« — Un crayon? Voilà, monsieur. »

Dès que le serveur se fut éloigné, Gordon se pencha sur les mots croisés. Cependant, il ne pouvait s'empêcher de penser à Cruikshank : « Il est donc déjà sorti de prison? Eh oui, cela fait un mois qu'il y a eu cette histoire sur la route... un mois que j'ai amené « MacGregor » ici... Bah! tout cela est sans intérêt. Je n'ai rien contre Cruikshank. Et, puisqu'il me laisse tranquille... »

Vraiment, ces mots croisés étaient par trop faciles! D'un crayon rapide, il remplissait les cases vides l'une après l'autre. Ce jeu était si simple qu'il lui laissait l'esprit libre pour poursuivre sa méditation : « J'aimerais bien savoir comment « MacGregor » s'en tire au ranch. Si j'allais le voir? Aujourd'hui, ce n'est pas le temps qui me manque. Mais Goldie ne serait pas content. Il aime rentrer directement à la maison. De plus, il va être bien chargé, le pauvre! Il ne faut pas que j'abuse de sa bonne volonté. Rudement chic de la part de Lew Miller de m'avoir envoyé tous les numéros de *Pur-Sang* depuis le début de l'année. Je vais peut-être y trouver un indice... un détail quelconque qui me permettra de comprendre pourquoi j'ai eu si souvent l'impression d'avoir déjà vu le visage de « MacGregor »...

Lorsqu'il eut terminé les mots croisés, il se mit à les entourer de dessins plus ou moins abstraits. Il évoqua la liasse de billets de banque enfermés dans sa commode. Le visage assombri, il avait encore l'impression d'entendre les paroles que le jeune garçon prononçait dans son délire. « MacGregor » semblait persuadé d'avoir participé à un hold-up. Il ne cessait de répéter : « La police de l'Utah me recherche! » Et Gordon songeait : « C'est peut-être vrai... Ce ne l'est peut-être pas... Tant qu'il n'aura pas recouvré la mémoire, je n'affirmerai rien. »

Levant les yeux, il vit Cruikshank qui, toujours

assis au bout du comptoir, se tenait à demi tourné dans sa direction. Au cours des dernières minutes, la salle s'était vidée. Le juke-box ne faisait plus entendre ses musiques criardes. Le serveur revint, portant un plateau. Gordon posa son crayon et se mit à manger. Lorsqu'il eut fini de déjeuner, il reprit le crayon et recommença de tracer des dessins autour des mots croisés.

La pointe du crayon ayant soudain déchiré le papier, il ne se troubla pas pour si peu. Il entreprit d'entourer de la même guirlande de dessins l'article placé au-dessus de la grille, tout en poursuivant ses réflexions au sujet de « Mac-Gregor ».

Brusquement, sans savoir ce qui avait attiré son regard, il s'aperçut qu'il avait cessé de dessiner et qu'il lisait l'article avec une sensation de surprise croissante. Il le lut et le relut... jusqu'au moment où une voix le fit sursauter :

« Salut, Gordon! »

D'un geste prompt, il écarta le journal, dressa la tête :

« Tiens, Allen, bonjour. »

Allen tenait une tasse à la main. Il la posa sur la table, s'assit près de Gordon et déclara, après avoir bu une gorgée de café :

« Vous savez, Gordon, votre ami, le jeune « Mac-

Gregor », il m'intrigue. Je dirai même qu'il m'intrigue de plus en plus. »

Gordon protesta :

« Ce n'est pas mon ami. Je le connais à peine. J'ignore tout de lui. »

Depuis qu'il avait lu l'article que cachait presque son coude droit, il n'avait plus du tout envie de paraître mêlé à ce qui concernait « MacGregor »...

« Il y a huit jours encore, reprit Allen, il travaillait très bien au ranch. Puis je l'ai envoyé à la recherche d'un étalon sauvage qui rôdait dans la région. »

Gordon ne put s'empêcher de demander :

« Un étalon sauvage?

— Oui. Il faudra que je vous le montre. Un animal magnifique.

— Vous l'avez capturé?

— Bien sûr. En réalité, c'est « MacGregor » qui l'a déniché. Et le plus étrange est qu'il ne nous en disait rien! Si Hank n'avait pas été avec nous, nous serions repartis bredouilles. Hank avait flairé que « MacGregor » mentait.

— Mentir pour une chose comme celle-là me paraît incompréhensible!

— En effet, Gordon, incompréhensible et surtout singulier! Car vous ne savez pas tout. Avant notre arrivée, « MacGregor » avait apprivoisé l'étalon et, lorsqu'il eut compris que nous restions sceptiques, il s'en est approché, il lui a passé une bride sans la moindre difficulté et l'a conduit au ranch!

— Incroyable! murmura Gordon. Dans la montagne, il m'est arrivé plusieurs fois d'apercevoir des hardes de mustangs. Mais j'ai toujours cru qu'il était très difficile d'apprivoiser un étalon sauvage. »

Allen appuya fortement sa main à plat sur la table :

« Moi aussi, c'est ce que j'ai toujours cru. Mais Hank assure qu'il y a des exceptions. »

Gordon secoua la tête.

« J'en doute.

— Venez au ranch. Vous verrez que je ne vous raconte pas des histoires. Mais j'ai encore quelque chose à vous dire... quelque chose qui m'intrigue plus que tout le reste... Voilà. Ce matin, j'ai proposé à « MacGregor » de monter Eclair aux courses de Preston la semaine prochaine. Il a refusé! Bien sûr, j'aurais pu lui en donner l'ordre. Mais ce n'est pas mon genre. Vous vous rendez compte? Je lui offre la chance de sa vie. Et il la dédaigne! Dès le début, j'ai pensé à en faire mon jockey. Il faudrait être aveugle pour ne pas se rendre compte qu'il est né pour ça. Il suffit d'observer la façon dont il monte. »

Gordon jeta un coup d'œil à la porte. Il pensait

au paquet de revues spécialisées qu'il avait déposé devant Goldie...

« Comment monte-t-il, Allen ?

— Court, mais pas trop, de sorte qu'il ne peut perdre l'équilibre ni le contrôle de sa monture. De plus, il se penche en avant et se tient presque collé à l'encolure du cheval. Mais, Gordon, il vous est sûrement arrivé d'assister à une course avant de vous installer dans le pays ? »

Gordon se tourna vers Allen.

« Naturellement. »

Et, après un long silence :

« J'aimerais bavarder avec « MacGregor ».

— Eh bien, venez. J'ai mon vieux tilbury à la porte. Je prendrai toutes dispositions pour qu'on vous ramène plus tard. »

Quand les deux hommes eurent quitté le restaurant, Cruikshank descendit de son tabouret, se dirigea vers la petite table, prit le journal et déchiffra l'article qui avait fait paraître une expression de surprise et presque de frayeur sur le visage de Gordon :

LE HOLD-UP DE SALT LAKE CITY

PHOENIX. — *Les recherches entreprises en vue de retrouver le jeune garçon mêlé le mois dernier au hold-up du restaurant de Salt Lake City ont conduit les policiers jusqu'en Arizona. Elles sont intensifiées depuis le décès, il y a une semaine, du caissier du restaurant, Henry Clay, à la suite des blessures qu'il avait reçues lors du hold-up.*

Toutes les polices (celle du comté, celle de l'Etat et la police municipale) ont été mobilisées. On croit en effet que le jeune homme va essayer de franchir la frontière mexicaine. Il est âgé de seize à dix-huit ans. Mince, cheveux roux, il mesure environ un mètre soixante.

Peu après le hold-up, les trois hommes pour lesquels il faisait le guet ont été arrêtés. Ils doivent être jugés incessamment.

Cruikshank lut plusieurs fois la description du jeune garçon. Maintenant, il comprenait la soudaine inquiétude de Gordon. Car, ce garçon, il le connaissait! Il déchira l'article et fourra ce précieux document dans sa poche. Il saurait en faire bon usage. Mais pas maintenant, plus tard. Il attendrait le moment propice. On l'avait envoyé en prison. Eh bien, il se vengerait! Il les détestait tous : le shérif, Gordon, le petit rouquin et, principalement, Allen. Ah! celui-là! Il avait peut-être enfin trouvé un moyen de l'atteindre, de le ruiner!

A son tour, en grommelant des injures, il quitta le restaurant.

Le journal mutilé était resté sur la table. La déchirure découvrait une large partie de la page suivante. On pouvait y lire un autre article, plus court, presque un écho, où il était fait aussi allusion à un jeune garçon. Mais cet écho se contentait de répéter une nouvelle déjà ancienne...

JACKSON HOLE, WYOMING, 25 JUILLET. — Les recherches en vue de retrouver Alec Ramsay et Black, son célèbre étalon, ont pris fin aujourd'hui, après s'être poursuivies avec acharnement et sans résultat pendant plus d'un mois dans les régions les plus inhospitalières du Wyoming. Il ne reste aucun espoir de retrouver vivants Alec Ramsay et son cheval.

Le serveur contourna le comptoir, s'approcha de la table, l'essuya. Il prit le journal, le froissa et le jeta dans une poubelle, avec d'autres papiers destinés à être brûlés.

CHAPITRE XIV

FLÈCHE NOIRE

Les deux voyageurs restèrent un bon moment silencieux. Ils étaient déjà loin de la ville quand Allen reprit la parole :

« En somme, j'espérais que « MacGregor » accepterait de monter Eclair. Je m'en rends compte maintenant. Bien sûr, l'an passé, aux courses de Preston, j'ai engagé sur place un jockey. Mais, je le reconnais, j'ai du mal à me faire à l'idée que ce gamin m'a envoyé promener! »

Gordon ne répondit pas. Il gardait les yeux fixés sur le cheval attelé au tilbury. Il savait pourquoi « MacGregor » refusait de monter à Preston. « Mac-Gregor » avait peur d'être reconnu par des spectateurs! Quant à moi, songeait Gordon, je ne peux absolument pas me dérober. Car enfin « MacGregor » est non seulement un voleur : il s'est rendu complice d'un meurtre! Mon devoir est simple : essayer de le persuader de se présenter lui-même à la police. Oh! bien sûr, j'aurais préféré me tenir à l'écart de cette affaire. Mais ce n'est plus possible... »

« Gordon, dit Allen, vous n'êtes guère bavard!

— Je réfléchissais.

— Peut-être pourriez-vous m'aider... essayer d'obtenir que « MacGregor » monte Eclair. Après tout, vous êtes son ami.

— Non, je vous l'ai déjà dit. Je le connais à peine. Je l'ai trouvé un jour dans une région déser-tique. Il s'était perdu. Je lui ai donné l'hospitalité. Voilà tout.

— Qu'est-ce qu'il pouvait bien fabriquer dans ce désert? murmura Allen comme pour lui-même. Chez ce garçon, tout est bizarre... »

Après cela, Allen s'enferma dans un mutisme

assez maussade. Gordon, lui, luttait contre ses derniers scrupules. Il avait de la sympathie pour « MacGregor ». S'il avait pu, il l'aurait sauvé. Il n'aimait guère le rôle de justicier que les circonstances lui imposaient. Soudain, il eut une idée : « Si « MacGregor » participait aux courses de Preston, et surtout s'il gagnait, sa photo paraîtrait dans les journaux. Alors... »

Il se tourna vers Allen.

« Pourquoi, après tout, ne lui ordonnez-vous pas de monter votre cheval? »

Le maître du ranch secoua la tête.

« Impossible. Il faut qu'il ait lui-même envie de monter Eclair. Faute de quoi... »

Puis, changeant de sujet :

« J'ai acheté Eclair, peu après son sevrage, à Ralph Herbert, qui est propriétaire d'un ranch au Texas, le ranch des Sommets. Maintenant qu'Eclair est un crack, Herbert voudrait me le racheter à n'importe quel prix. Depuis des mois, il me harcèle de ses propositions. Chaque fois, je lui réponds : « Rien à faire. Je ne suis pas vendeur. » Mais ce n'est pas tout. Herbert s'est mis une autre idée en tête : il souhaite qu'Eclair soit opposé à son cheval Vent de Nuit... »

Gordon sursauta.

« Vent de Nuit est un pur-sang, n'est-ce pas?

— Oui. »

Gordon ne put s'empêcher de sourire.

« Il faudrait que vous ayez perdu la tête pour accepter une proposition semblable! Vent de Nuit est un champion.

— Eclair en est un aussi! Mais comment se fait-il que vous ayez entendu parler de Vent de Nuit?

— Par certains magazines spécialisés que m'envoie un ami. Vous savez, il y a eu une époque où je m'intéressais beaucoup aux pur-sang. Pour en revenir à Vent de Nuit, je sais qu'il a été blessé l'hiver dernier. Maintenant, il est sans doute guéri...

— Etes-vous sûr qu'il s'agisse du même cheval? Herbert ne m'a jamais parlé de blessure...

— C'est certainement le même ! affirma Gordon avec force.

— En tout cas, Herbert a trouvé pour me fléchir des arguments séduisants. Premièrement, il est prêt à envoyer Vent de Nuit à Preston pour les courses de la semaine prochaine. Deuxièmement, il assure qu'une épreuve entre un pur-sang et un demi-sang excite toujours la curiosité d'un large public. Troisièmement, s'il perd, il me donnera cinq de ses meilleures juments et, si je perds...

— Si vous perdez?

— Je lui donnerai Eclair.

— Alors, considérez Eclair comme perdu

d'avance! Voulez-vous me permettre, Allen, de vous donner un conseil? Laissez tomber. Il n'y a pas un demi-sang au monde qui pourrait tenir devant un pur-sang comme Vent de Nuit. En somme, Herbert a trouvé un moyen de vous subtiliser Eclair. Il vous tend un piège!

— Dans lequel je ne tomberai pas! Les cinq juments m'intéressent, pour agrandir mon ranch. Donc, la course aura lieu, mais pas comme Herbert l'entend. Il veut une épreuve sur plus de quatre cents mètres. Je viens de lui écrire : « Rien à faire. Trois cents mètres, ou rien du tout. » Vous comprenez, trois cents mètres, c'est la distance idéale pour Eclair. Vous voyez, je ne prends pas de risques.

— Je voudrais bien vous croire, Allen... »

Le ranch n'était plus qu'à courte distance. Les deux voyageurs captèrent un roulement de sabots qui semblait venir de la piste d'entraînement. Soudain, Allen fronça les sourcils en voyant apparaître au milieu de la piste l'étalon noir. Sa première pensée fut : « Il s'est échappé de son enclos! » Puis il distingua, courbée sur le dos de l'étalon, une silhouette mince. Alors la crainte fit place en lui à la colère. « MacGregor » n'avait pas le droit, sans sa permission, de...

Gordon s'exclama :

« Regardez! Qu'est-ce que c'est que ce cheval?

— L'étalon dont je vous parlais tout à l'heure.

— Qui le monte?... Ma parole, c'est « MacGregor »!

— Lui seul peut le monter... Néanmoins, il a tort. Il aurait dû me demander au préalable l'autorisation de...

— Mais regardez, regardez donc, Allen! Je n'ai jamais vu un cheval galoper de cette façon... sans doute grâce à son cavalier! »

Allen avait légèrement tourné la tête vers la gauche, et semblait s'intéresser à Hank Larom qui, monté sur Eclair, se tenait, près d'un groupe de bouvillons, à une dizaine de mètres d'une ouverture dans la barrière par laquelle on pouvait accé-

der à la piste d'entraînement. Soudain, Larom éperonna Eclair, franchit l'ouverture et s'élança sur la piste, suivi par l'étalon noir. Sans doute voulait-il faire une démonstration des qualités respectives du demi-sang et du pur-sang.

Quand Eclair démarra, Allen eut le souffle presque coupé. Il croyait qu'aucun cheval au monde n'était plus rapide que le sien. « L'étalon noir ne le rattrapera pas, se répétait-il. Sur trois cents mètres, Eclair est imbattable. Ensuite, peu importe ce qui se produira ! »

De fait, sur deux cent cinquante mètres environ, l'écart demeura le même. Certes, Allen admirait l'étalon noir. Mais celui-ci était monté à cru par un adolescent léger comme une plume, tandis qu'Eclair portait non seulement une selle, mais un cavalier d'âge mûr qui pesait au moins soixante-quinze kilos. Allen serrait les poings en murmurant :

« Fonce, fonce, mon petit cheval ! Laisse-le en plan ! »

Mais « MacGregor » s'était penché un peu plus encore sur l'encolure de l'étalon noir. D'une voix aiguë, il jeta un ordre. Et, soudain, l'étalon parut s'enlever au-dessus du sol, voler !

Allen changea d'expression. Ses yeux s'éteignirent, ses lèvres s'abaissèrent...

Quelques secondes plus tard, l'étalon passa en trombe à une cinquantaine de mètres du tilbury. Ce n'était plus un cheval, mais une flèche noire! Gordon et Allen le suivirent du regard jusqu'à ce qu'il eût disparu à l'extrémité de la piste, derrière une grange. Larom, qui avait renoncé à le poursuivre, s'approcha au trot du tilbury. Le visage décomposé par l'émotion, il dit :

« Patron, qu'est-ce que vous pensez de ça? Je n'ai jamais vu un cheval aussi rapide! »

Allen répliqua d'une voix que la colère faisait vibrer :

« Cela suffit, Hank. Ramenez Eclair à son enclos. »

Puis il secoua les guides du tilbury. Au moment où les roues de la légère voiture commençaient à tourner, Gordon déclara :

« Je pensais à quelque chose... Désirez-vous toujours gagner les cinq juments de Herbert?

— Bien sûr. Mais où voulez-vous en venir, Gordon?

— A ceci. J'ai maintenant l'impression que « MacGregor », s'il monte cet étalon, peut gagner n'importe quoi, sur n'importe quelle distance. »

Allen parut réfléchir.

« Si je vous comprends bien...

— Vous tenez le moyen de gagner les cinq

juments. Pour cela, il vous suffit de laisser à Herbert le choix de la distance.

— En somme, vous me conseillez de renoncer à Eclair... et d'opposer l'étalon noir à Vent de Nuit. C'est bien cela?

— Exactement. Herbert pensera que vous avez perdu la tête... et vous en profiterez pour vous montrer plus exigeant. Vous pourrez, par exemple, exiger, non pas cinq... mais sept, huit juments.

— Vous ne vous trompez pas lorsque vous dites que Herbert pensera que je suis fou... et il n'aura pas tort! » s'exclama Allen.

Il ajouta en secouant la tête :

« Malheureusement, c'est impossible. Engager dans une course un cheval sauvage... Non, non, impossible! »

Au même instant, il tira sur les guides et arrêta le tilbury. En effet, l'étalon noir, après avoir contourné la grange, venait de reparaître sur la piste et commençait à la parcourir en sens contraire. Manifestement, « MacGregor » ne le poussait pas, le laissait faire à sa guise. Puis, soudain, il se coucha sur l'encolure, et l'étalon noir s'élança, rapide comme la foudre. Bientôt, il passerait devant deux enclos dont la longueur totale était de quatre cents mètres. Allen pensa : « Autant savoir ce dont il est vraiment capable... » Et il jeta un coup d'œil à sa montre-bracelet. Gordon, qui surprit ce coup d'œil, pensa à son tour : « Il veut le chronométrer. C'est bon signe. Je n'ai plus qu'à me taire. »

Allen ne tarda pas à consulter de nouveau sa montre et, lorsqu'il eut calculé le temps accompli par l'étalon noir pour couvrir la distance, il ne put cacher sa stupeur.

Toutefois, il garda le silence jusqu'au ranch. Là, il dit à Gordon en descendant du tilbury :

« Tout à l'heure, vous m'avez donné un conseil que j'ai repoussé. Je crois que j'ai eu tort. Maintenant, je me demande si vous n'étiez pas dans le vrai. Remarquez, ma décision n'est pas encore prise.

— Naturellement », répondit Gordon qui pensait : « En tout cas, elle est bien près de l'être! »

« Il y a toujours le même point délicat, reprit Allen. Si je décide d'opposer cet étalon à Vent de Nuit, « MacGregor » acceptera-t-il de le monter?

— Vous pouvez lui en donner l'ordre. Certes, « MacGregor » refuse de monter Eclair. Mais il semble familiarisé avec l'étalon noir.

— Oui, je pourrais lui en donner l'ordre... », répéta Allen comme pour lui-même.

Puis, d'une voix plus ferme :

« Bah! ne parlons plus de cela, du moins pour

l'instant. Venez jusqu'à la maison, Gordon. Nous y attendrons ensemble le retour de « MacGregor ».

— J'ai changé d'avis, Allen. Je verrai « MacGregor » une autre fois. Je voudrais partir sans retard. Si vous avez quelqu'un pour me conduire à la ville...

— Oui, j'ai quelqu'un. Cependant, Gordon, vous m'avez dit tout à l'heure...

— Je n'ai pas oublié ce que j'ai dit, Allen. Mais, voyez-vous, il faut que je parte. »

Pour Gordon, l'affaire était dans le sac. Il y avait gros à parier qu'Allen déciderait d'opposer l'étalon noir à Vent de Nuit, que « MacGregor » serait contraint de monter l'étalon aux courses de Preston et que le jeune garçon serait reconnu par des spectateurs comme l'un des malfaiteurs recherchés par la police...

Gordon pouvait donc partir la conscience tranquille.

CHAPITRE XV

« ACCEPTE OU... VA-T'EN! »

APRES le départ de Gordon, Allen attendit « Mac-Gregor » avec impatience. Quand il vit le jeune garçon, toujours sur l'étalon noir, s'avancer au pas, il alla à sa rencontre. Cette fois, il était bien résolu à se faire obéir!

« Conduis-le à l'écurie et bouchonne-le soigneusement, dit-il.

— Bien, patron, répondit « MacGregor ».

— De plus, ajouta vivement le maître du ranch, je t'annonce que tu monteras à Preston. Il ne s'agit plus d'Eclair. Tu monteras cet étalon. J'ai maintenant, grâce à toi, la preuve qu'il est très rapide. Tâche, à Preston, de le conduire à la victoire. »

Il reprit, en regardant fixement son interlocuteur :

« C'est un ordre. S'il ne te plaît pas, je te flanque à la porte sur-le-champ. Maintenant, j'attends ta décision. Presse-toi! »

Le jeune garçon avait pâli. Il gardait le silence.

« Eh bien? » insista Allen.

Il commençait à éprouver une gêne étrange, car jamais il ne s'était heurté à des difficultés de ce genre avec les membres de son personnel. Après une hésitation, il se résigna à marchander.

« Ecoute, Mac. Voici ce que je te propose. Tu te souviens, nous avons déjà eu ce matin une conversation... Si, à Preston, tu gagnes sur cet étalon sauvage, il se peut que je te le donne dans quelque temps. Ce n'est pas une promesse ferme. C'est, si tu veux, une demi-promesse. De deux choses l'une : ou bien tu montes l'étalon à Preston ou tu quittes le ranch dès aujourd'hui. Bref, accepte ou va-t'en ! Tu as compris? »

« MacGregor » laissa passer encore quelques secondes avant de murmurer :

« Je le monterai à... à Preston.

— Voilà qui est mieux ! déclara Allen avec un sourire satisfait. Maintenant, va le bouchonner et soigne-le bien ! Il aura un gros effort à fournir la semaine prochaine.

— Entendu, patron », dit le jeune garçon de la même voix blanche.

Et il emmena l'étalon noir à l'écurie.

Allen, lui, entra en courant dans sa maison, décrocha le téléphone, demanda le régional et, lorsqu'il l'eut obtenu, le numéro du ranch de M. Ralph Herbert, à Abilène, Texas. Puis il attendit. Par la fenêtre ouverte, il vit « MacGregor » conduire l'étalon noir à l'abreuvoir. Comment, en un peu plus d'une semaine, une familiarité aussi totale avait-elle pu se créer entre le jeune garçon et cet animal sauvage ? Allen cherchait à comprendre. Mais quelque chose lui échappait.

La sonnerie du téléphone retentit, interrompant sa méditation. Il se hâta de décrocher :

« Allô ! Allô ! Ralph Herbert ? Ah ! c'est vous, Ralph ? Ici Allen, de Preston. Comment allez-vous, Ralph ? Heureux de vous savoir en bonne santé. Moi aussi, je me porte à merveille... Oui, oui, je serai à Preston samedi. Et vous ?... Parfait. Non,

je n'ai pas changé d'avis. Pour Eclair, je ne veux pas
entendre parler de quatre cents mètres. Trois
cents : voilà la bonne distance pour lui... Mais vous,
vous n'êtes pas d'accord, n'est-ce pas? Donc, plus
question d'opposer votre pur-sang à mon demi-
sang. Dommage... Bien sûr, bien sûr, Ralph, je
comprends. Je voulais seulement être sûr qu'il n'y
avait pas de malentendu entre nous... »

Après cela, Allen laissa parler Herbert, lequel
semblait sincèrement regretter que l'occasion fût
perdue pour son pur-sang, Vent de Nuit, de se
mesurer à Eclair. Le maître du ranch l'écouta d'une
oreille assez distraite, puis, au moment où la
conversation arrivait à son terme, il la fit habile-
ment rebondir.

« A propos, Ralph... Il me vient une idée. Vous
intéresserait-elle? J'en doute... Néanmoins, voilà ce
dont il s'agit. Il y a quelque temps, mes hommes ont
capturé un cheval sauvage. Oui, j'ai bien dit : un
cheval sauvage. Non, pas un mustang. Un animal
plus robuste qu'un mustang, plus vigoureux. Depuis
qu'il est ici, nous le soignons, nous le bichonnons.
Tout le monde l'aime et apprécie beaucoup la façon
dont il galope. Naturellement, comme il n'est pas
enregistré, on ne peut guère envisager de le produire à Preston... à moins que vous n'ayez... l'un
des vôtres à lui opposer... »

Il y eut, à l'autre bout du fil, un silence prolongé. A la fin, Herbert reprit la parole. Après l'avoir laissé monologuer un bon moment, Allen l'interrompit.

« A mon avis, Ralph, Vent de Nuit ne convient guère en la circonstance. Après tout, mon cheval rôdait encore en toute liberté il y a peu de temps dans les montagnes... Bien sûr, bien sûr, Vent de Nuit est le seul de vos pur-sang que vous puissiez amener à Preston. Et je sais que les turfistes apprécieraient énormément une épreuve entre un pur-sang et l'un de nos chevaux locaux. Mais, voyez-vous... Oui, Ralph, je comprends, je comprends. »

Maintenant, Herbert parlait vite, sur un ton insistant. Une fois encore, Allen le laissa monologuer à sa guise, attendit qu'il en eût terminé.

« Entendu, Ralph, entendu. Ça devrait pouvoir s'arranger. En ce qui concerne la distance... plus de quatre cents mètres... Qu'en dites-vous? Vous savez, mon nouveau cheval semble aimer la distance. Comme tous ses semblables, il a de l'endurance à revendre. Voilà pourquoi... je vous parlais, il y a un instant, de plus de quatre cents mètres... ne serait-il pas plus logique de dire... mettons... un kilomètre six cents par exemple? »

Il sourit en écoutant Herbert. Celui-ci était brusquement passé de l'intérêt le plus vif à une ardeur impatiente. A la fin, Allen feignit de le modérer.

« Voyons, Ralph, du calme! Dix juments! Vous n'y pensez pas! Cinq, oui, mais dix! Bon, puisque vous insistez... Entendu pour dix juments... Non, Ralph, non, rassurez-vous. Je ne reprendrai pas ma parole. Je serai là-bas samedi... Je vais immédiatement prendre contact avec les autorités de l'hippodrome de Preston. Elles accepteront certainement d'inscrire notre épreuve au programme... Que dites-vous, Raph? Là encore, je suis d'accord avec vous. *Si l'un des concurrents ne se présente pas au départ, l'autre sera déclaré gagnant et son propriétaire recevra le prix prévu...* Cela me paraît normal. Je le répète, je suis entièrement d'accord avec vous. A bientôt donc, Ralph. »

Allen raccrocha, le souffle coupé, et se laissa tomber sur une chaise. Dix juments provenant du ranch de Ralph Herbert! Même dans ses songes les plus délirants, il n'aurait jamais osé espérer que... Et, immédiatement, il se mit à songer à ces dix juments, comme si elles lui appartenaient déjà.

*
* *

A Leesburg, la téléphoniste (elle s'appelait Elsie) ne péchait pas par excès de discrétion. Lorsque la communication, qu'elle avait suivie du premier au dernier mot, fut terminée, elle se leva, alla s'accouder à sa fenêtre, avisa son amie Janie qui passait devant le bureau de poste et lui fit signe d'approcher. Un moment, les deux femmes bavardèrent à mi-voix. Puis elles se séparèrent et Janie alla colporter les nouvelles qu'elle venait d'apprendre.

Peu après, Gordon achevait d'attacher le paquet de magazines sur le dos de son âne, lorsqu'un homme à grosses moustaches tombantes, qui sortait du drugstore voisin, s'approcha et lui demanda :

« Salut, Gordon, vous êtes au courant?

— De quoi?

— Eh bien, samedi prochain, à Preston, Allen doit faire courir son cheval sauvage contre un pur-sang du Texas. S'il perd, il donnera son demi-sang Eclair au propriétaire du pur-sang. S'il gagne, le propriétaire du pur-sang lui donnera dix juments! D'autre part, si l'un des concurrents ne se présente pas au départ, il sera déclaré perdant. Qu'est-ce que vous dites de ça? Allen doit être devenu fou! Il a entraîné à fond son demi-sang. Et qui engage-t-il dans cette course? Un cheval sauvage! »

Gordon ne répondit pas. Il prit Goldie par la bride et s'éloigna vers la sortie de la ville. Il était las de cette affaire, il ne voulait plus en entendre parler.

« Il est temps de rentrer chez nous », dit-il à son âne.

Il eut le temps cependant d'apercevoir, du coin de l'œil, l'homme à la grosse moustache tombante s'arrêter devant Cruikshank, lequel était assis sur les marches d'un café. Il remarqua que Cruikshank semblait très intéressé par ce qu'on lui racontait et qu'un sourire relevait petit à petit ses lèvres minces.

Tout en poursuivant son chemin, Gordon songeait : « Ce Cruikshank! Il est probable qu'il serait aux anges si Allen perdait la course et son cher demi-sang Eclair. Mais l'étalon noir vaincra, surtout

si « MacGregor » le monte aussi bien qu'aujour-
d'hui ! »

Quand l'homme à la grosse moustache l'eut
quitté, Cruikshank resta longtemps assis au même
endroit. D'un geste nerveux, il essuyait sur son
pantalon ses mains en sueur. Il avait entendu parler
de l'étalon noir capturé par Allen une semaine plus
tôt, et il savait que seul le nommé « MacGregor »
pouvait le monter. Bientôt, il renseignerait le shérif
sur l'identité du jeune garçon. Mais pas tout de
suite. Pour cela, il attendrait samedi prochain. Il
agirait immédiatement avant la course. Comme il
n'y aurait plus personne pour monter l'étalon,
l'épreuve serait annulée. Et Allen perdrait son précieux Eclair !

Au ranch d'Allen, « MacGregor » regardait l'étalon noir aller et venir dans l'un des enclos. Il
avait l'impression qu'il se rapprochait de plus en
plus du moment où, après une longue et pénible
lutte, il pourrait enfin retrouver la mémoire. Ce
n'était plus qu'une question de jours, d'heures peut-
être...

Cependant, à l'idée de la course à laquelle il
devait prendre part le samedi suivant, il se sentait

pris de panique, il avait envie de fuir. Mais quitter son cheval maintenant? Non, impossible! A la fin, il prit une décision. Il dirait à Allen : « Avant l'épreuve, je veux que nous soyons tenus à l'écart, l'étalon et moi. Cela vaut mieux. Sinon, l'étalon aurait peut-être peur de la foule, et je ne pourrais plus répondre de rien. » Allen comprendrait sûrement. La partie était si importante pour lui!

« MacGregor » redoutait aussi ce qui pourrait se produire après la course. Il tenta de se rassurer : « Je porterai une casaque aux couleurs d'Allen. Il faudrait alors un œil bien perspicace pour me reconnaître! Ensuite, dès que l'épreuve sera terminée, je quitterai l'hippodrome, je regagnerai le ranch et, quelque temps après, l'étalon m'appartiendra... si Allen tient parole. »

Il se dirigea vers la barrière qui entourait l'enclos. Entendant un pas derrière lui, il se retourna et vit l'étalon noir qui le suivait. Il attendit et, dès que l'animal fut près de lui, il le caressa et appuya son visage contre la puissante encolure.

CHAPITRE XVI

LUEURS DE MÉMOIRE ET CERTITUDE

LES JOURS suivants, la fièvre régna au ranch d'Allen. Les avis étaient partagés. Pour certains cow-boys, qui ne cachaient pas leur opinion, le superbe étalon noir restait un animal sauvage, incapable sans doute de remporter la victoire à Preston.

Mais Allen ne daignait même pas les écouter. Il

se contentait de surveiller l'entraînement avec une attention extrême. Ainsi que « MacGregor » l'avait prévu, il avait accepté sans difficulté ses suggestions. Il avait même décidé :

« La course a lieu samedi. Nous arriverons le vendredi soir à Preston. Nous placerons notre van à quelque deux ou trois cents mètres de l'hippodrome. C'est là que l'étalon attendra jusqu'au moment où la course sera annoncée. Ainsi, il ne sera pas agacé par les autres chevaux et par la foule. »

Le vendredi matin eut lieu l'ultime entraînement. Deux spectateurs seulement y assistèrent : Allen et Larom.

« MacGregor » emmena l'étalon au trot jusqu'à l'extrémité de la piste, à un endroit où le gazon était remplacé par du sable durci.

Soudain, il fut pris par une furieuse envie de fuir. « Il suffirait de continuer tout droit, songeait-il. Nous nous enfoncerions dans les montagnes. Nous disparaîtrions... et personne ne nous retrouverait jamais ! »

Puis il se ravisa : « Bien sûr, personne ne nous retrouverait. Mais nous-mêmes, retrouverions-nous notre chemin dans ce fouillis de montagnes ? Après tout, mieux vaut pour moi participer à la course et m'exposer au risque d'être arrêté. Seul Gordon sait ce que j'ai fait. Et il semble disposé à garder le silence... »

Il fit faire demi-tour à sa monture et revint vers Allen et Larom dont il apercevait les silhouettes au loin. Il pensait maintenant au cheval qui, le lendemain, serait opposé au sien. Vent de Nuit? Pourquoi ce nom sonnait-il familièrement à ses oreilles? Avait-il monté ce Vent de Nuit comme il montait en ce moment l'étalon noir? Avait-il été jockey? Quand? Où? Et que faisait-il un certain soir à Salt Lake City? Pourquoi avait-il repris connaissance dans un camion? Quand à l'argent qu'il avait confié à Gordon, d'où provenait-il?

« C'est bien cela, conclut-il à mi-voix. J'ai été jockey. Puis je me suis trouvé démuni. Pour quelles raisons? Peu importe. J'ai aidé des malfaiteurs à commettre un hold-up dans un restaurant. Il y a eu une bagarre. J'ai réussi à fuir en me cachant à l'arrière d'un camion... »

D'un coup de langue, il mit l'étalon au galop et, au même moment, il éprouva dans la tête une sourde douleur, la première depuis huit jours. Il s'était cru guéri. Quelle erreur! La douleur était toujours là, assoupie mais tenace.

L'étalon secoua sa magnifique crinière, hennit, fonça et donna immédiatement toute sa puissance. « MacGregor », debout sur les étriers, couché sur l'encolure, avait l'impression d'être emporté par un ouragan.

Lorsqu'il eut parcouru à cette allure la piste entière et remis sa monture au trot, il vit Larom venir à sa rencontre, tandis qu'Allen restait immobile à quelque distance.

« Aujourd'hui, s'exclama Larom, aucun cheval au monde n'aurait pu le battre!

— Demain, s'il court... », commença « MacGregor ».

Larom l'interrompit.

« Tu veux dire : « Demain, quand il courra! » Sois tranquille : il sera imbattable... tant que tu le monteras. Pour moi, cela ne fait pas le moindre doute. Il saute aux yeux que ce cheval est un animal sauvage. Pourtant, il fera tout ce que tu exigeras de lui. De toi, il acceptera n'importe quoi. Tu es seul à pouvoir le toucher, le panser. Et, quand tu l'as sellé pour la première fois, il ne t'a opposé aucune résistance, n'est-ce pas? Il est prêt à subir tes moindres volontés. Remarque bien : ce n'est pas la première fois qu'un cheval se prend d'amitié pour un homme. Mais à ce point! »

« MacGregor », songeur, caressait l'encolure de l'étalon. Comment expliquer à Larom qu'il se trompait sur toute la ligne? Comment lui faire comprendre que cet étalon n'était pas un animal sau-

vage, mais au contraire un pur-sang accoutumé à
la bride et à la selle, et que, ce pur-sang, il l'avait
déjà monté dans un passé indéterminé?

Tandis qu'il se dirigeait vers l'écurie, il entendit
encore Larom qui lui criait :

« Pour rien au monde, je ne voudrais manquer
la course de demain! Je suis certain que tous les
spectateurs s'en souviendront longtemps. Ils n'au-
ront jamais vu un cheval comme celui-là et un
jockey comme toi! »

« MacGregor » ne répondit pas. Lui aussi, pour
rien au monde, n'aurait voulu manquer la course
qui devait avoir lieu le lendemain. Bien sûr, il
obéissait à Allen. Mais il y avait quelque chose de
plus. Il avait une envie croissante de participer à
cette épreuve, de conduire l'étalon noir à la victoire. « Pourtant, se répétait-il. quelle sottise! Dans
cette affaire, je risque de tout perdre, à commencer
par ma liberté! »

Au soir tombant, Allen conduisit son van vers
l'enclos où « MacGregor » attendait près de l'étalon.
C'était un van spacieux, pouvant contenir plusieurs chevaux.

Quelques cow-boys étaient venus des montagnes

pour assister au chargement. D'un signe, Larom
les invita à s'éloigner de la barrière. Puis il l'ouvrit,
mais seulement quand Allen eut placé, juste devant
l'ouverture, la porte latérale de son véhicule.

Le jeune garçon tenait l'étalon par la bride.
Quand Larom et Allen eurent abaissé la rampe, il
s'avança. Il savait qu'il n'aurait pas le moindre
ennui et que Larom et Allen s'en émerveilleraient.
Ils y verraient une réussite extraordinaire, une
sorte d'opération magique. Comment les persuader
que rien n'était plus simple, qu'il avait accompli
cette opération avec le même cheval des douzaines
de fois peut-être. Mais en quels endroits? A quelle
époque?

Larom s'était placé à droite de la rampe, Allen
à gauche. Ils voulaient ainsi bloquer toutes les
issues, empêcher l'étalon noir de leur échapper. Ils
prévoyaient des difficultés. De fait, dès qu'il les
aperçut, l'étalon fit un écart.

« Ne restez pas là », dit le jeune garçon.

A contrecœur, Allen et Larom allèrent se poster
un peu plus loin. « MacGregor » recommença
d'avancer. Sans se retourner, car il savait que l'étalon le suivait, il gravit la rampe. Il entendit les
sabots fins et vifs palper la planche, y prendre
appui. Moins d'une minute plus tard, le jeune garçon et le magnifique cheval étaient à l'intérieur du

véhicule. « MacGregor » eut alors l'impression que quelque chose se mettait à battre dans son crâne. Il porta la main à son front. Où avait-il participé déjà à une scène semblable? Jamais il ne s'était senti si près de renouer le fil brisé de ses souvenirs!

La sensation s'accentua lorsqu'il poussa l'étalon dans une stalle à l'avant du véhicule. *Une stalle étroite... Un grand cheval attaché... Et soudain le rugissement de plusieurs moteurs...* Images et bruits précis. Quant à l'époque, elle ne semblait pas tellement ancienne... Il ferma les yeux, attendit, pria pour que le reste lui revînt, s'éclairât de plus en plus...

« Alors, Mac, prêt? »

Il rouvrit les yeux, vit Larom sur le seuil de la porte. Puis on mit en marche le moteur du van.

« Je crois que je vais voyager dans la cabine, avec le patron, reprit Larom. Il est un peu nerveux ce soir. Je le surveillerai pendant la traversée des montagnes. »

La porte se ferma. De nouveau, « MacGregor » était seul. Il attendrait. Il avait tout le temps. Il fallait cinq heures pour atteindre Preston. Or, en cinq heures, bien des choses pouvaient se produire, les souvenirs pouvaient se ranimer, affluer brusquement.

Il s'approcha de l'étalon noir. Plus que jamais, il avait besoin de son aide.

Déjà, le van roulait vers la route qui, après Leesburg, s'enfonçait dans les montagnes.

*
**

Ce soir-là, après son dîner, Gordon s'assit et regarda la pile de revues qui se dressait sur sa table. Il ne cherchait pas, dans les numéros du *Pur-Sang*, une photographie de « MacGregor ».

Son opinion était faite : le jeune garçon avait été jockey, puis était devenu complice d'une bande de malfaiteurs. Ce qu'il voulait maintenant, c'était connaître son vrai nom.

Il procédait par ordre. Les jours précédents, il avait feuilleté de nombreux numéros. Et voilà qu'il en était arrivé à celui du 15 janvier. Il le prit, le posa sur ses genoux.

Pour commencer, il examina la couverture. Elle représentait un cheval noir, bridé, mais sans selle, un cheval robuste, à tête intelligente. Une bande blanche descendait de son front à ses naseaux. Il y avait également du blanc sur ses quatre jambes. Ses muscles étaient puissants, déliés. Bref, le vrai type du pur-sang de course. Et ce pur-sang s'appelait... Vent de Nuit !

« Tiens, tiens... », pensa Gordon.

Il tourna la page, lut un bref entrefilet concernant Vent de Nuit. Puis, soudain, il se dressa d'un bond. A la page suivante, il venait de découvrir une photographie représentant un autre cheval, entièrement noir celui-là... le cheval qu'il avait eu tout le temps d'observer au ranch d'Allen !

Il tenta de se ressaisir. Certes, la ressemblance était frappante. S'agissait-il cependant du même cheval ? La notice disait : « Black... l'un des plus célèbres étalons des Etats-Unis... père d'une jument gagnante du Kentucky Derby... père de Satan plusieurs fois champion du monde... »

De nouveau, Gordon examina la photo, la compara à l'image qu'il gardait dans l'esprit de l'étalon noir d'Allen. Même tête... petite, noble, arrogante. Et ces yeux, très grands, très écartés l'un de l'autre! Les oreilles aussi et les silhouettes, les encolures, les membres, paraissaient identiques!

Gordon aurait voulu se rasseoir. Il ne le pouvait pas. Il tentait de raisonner. Deux étalons, l'un civilisé, l'autre sauvage. Mais le premier — toujours selon la notice — appartenait à Alec Ramsay et Henry Dailey, et il vivait dans un ranch, à trois mille huit cents kilomètres de là. Le second, qui se trouvait présentement à Preston, devait affronter demain Vent de Nuit.

Gordon parvint à se rasseoir. Il souriait, essayait de se moquer de lui-même : « Ce rapprochement... une illusion, voilà tout. » Il se remit à feuilleter la revue, essaya de se plonger dans la lecture d'un article sur les soins à donner aux poulains naissants. Au bout d'un moment, il constata qu'il ne comprenait rien à ce qu'il lisait. Il lui semblait entendre encore Allen lui parler de l'étrange amitié qui liait « MacGregor » et l'étalon sauvage. Cette amitié, n'en avait-il pas été témoin? N'avait-il pas vu de ses yeux le jeune garçon traiter l'étalon en ami, en vieille connaissance?

« Ce cheval aurait-il donc été déjà dressé, monté? murmura-t-il. Dans ce cas, pourquoi ne serait-ce pas... Black? Mais non, ce serait par trop ridicule! »

Néanmoins, il ne put s'empêcher de revenir à la photo représentant le célèbre étalon, le scruta de nouveau, se posa dix, vingt questions. A la fin, agacé, il jeta au fond de la pièce le numéro de *Pur-Sang* et en prit un autre, puis un autre, un autre encore...

Ce dernier, il ne lui fut même pas nécessaire de l'ouvrir. Sur la couverture, une photo de « MacGregor » près de son étalon... sauvage! Et, sous cette photo, ces simples mots : *Alec Ramsay et Black — perdus dans les solitudes du Wyoming.*

Tremblant, bouleversé, Gordon se redressa dans son fauteuil, chercha, à l'intérieur de la revue, l'article se rapportant à la photo. Il y apprit l'atterrissage forcé, les premières recherches en vue de retrouver Black et Alec Ramsay. Les numéros suivants, échelonnés de semaine en semaine, donnaient d'autres détails, de moins en moins abondants. Les recherches diminuaient. Enfin, un dernier entrefilet annonçait qu'elles avaient cessé et qu'on avait perdu tout espoir de retrouver vivants Alec Ramsay et son cheval.

Gordon se leva. D'un pas chancelant, il alla jusqu'à un placard, y décrocha son veston, un chapeau. En partant sur-le-champ, il pouvait être à Leesburg le lendemain à l'aube. Là, il emprunterait une voiture et serait à Preston peu après midi. Il révélerait à « MacGregor » son identité, l'assurerait qu'il n'avait rien à craindre, lui crierait s'il le fallait :

« Tu n'es pas « MacGregor ». Tu es Alec Ramsay ! »

Il ouvrit la porte en appelant :

« Goldie! Goldie! »

Il courait déjà dans l'obscurité lorsqu'une pensée le frappa soudain :

« Alec Ramsay ne se rend pas compte qu'il monte Black! Il n'y a que moi qui le sache. Pourvu que je n'arrive pas trop tard! »

CHAPITRE XVII

PRESTON

Après avoir quitté Leesburg, et pendant plus d'une heure, le van roula sur une route poussiéreuse. Bientôt, il aborda la première pente des montagnes et laissa derrière lui l'air étouffant de la plaine. Petit à petit, la pente s'accentua. Le soleil se couchait. Une lumière de plus en plus faible enveloppait le paysage. Puis ce fut la nuit.

Allen alluma les phares, rétrograda et conduisit avec une prudence accrue.

A l'intérieur du van, le jeune garçon et l'étalon noir sentaient, à l'inclinaison du plancher, que la route était terriblement escarpée. L'étalon, pour garder l'équilibre, écartait ses jambes. Assis près de lui sur une chaise de toile, « MacGregor » l'observait et, en même temps, écoutait le moteur. Non, ce ronronnement n'avait rien de comparable avec le rugissement assourdissant qu'il avait entendu naguère. Il y avait aussi le bruit régulier des pneus sur le sol de la chaussée. Cela non plus ne ressemblait pas à certain fracas...

L'étalon s'amusait à tirer des brins de foin du râtelier placé devant lui. Ses sabots martelaient la paille couvrant le plancher. Il secouait la tête, tendait les cordes qui l'empêchaient de tomber. Soudain, sa couverture glissa.

« MacGregor » se leva, la lui remit sur le dos. Ses mains s'attardèrent à caresser la large encolure au contact si doux. Puis il parla. L'étalon se tournait vers lui et l'écoutait, oreilles frémissantes. Une fois de plus, le jeune garçon avait la sensation que le sombre rideau allait se lever, derrière lequel les souvenirs se pressaient en foule. Il s'acharnait, essayait d'aiguillonner son esprit, sa mémoire rebelle...

Après un sursaut, le van s'arrêta quelques secondes, puis repartit. Allen venait de rétrograder encore, sans doute parce que la pente était plus raide que jamais. L'étalon fit entendre un hennissement étouffé, secoua la tête. Comme s'il les voyait pour la première fois, « MacGregor » déchiffra les lettres blanches qui se détachaient sur le fond marron de la couverture.

Il ferma les yeux. Il perdait son temps à regarder ainsi la couverture, le sol incliné... même l'étalon. Il se devait de boucher ses oreilles au ronflement du moteur, et de ne plus songer à l'endroit où l'emportait le véhicule. Pour lui, une seule chose était nécessaire : se concentrer sur ce qu'il désirait savoir. Mais, ce combat, il lui fallait le livrer à l'intérieur de son être. Sinon...

Hélas! il ne tarda pas à se rendre compte qu'il lui était plus facile d'abaisser ses paupières que de fermer son esprit au monde extérieur. Il ne pouvait s'empêcher d'évoquer Preston et les innombrables spectateurs qui le suivraient du regard. Alors, il fut repris par une terrible angoisse. Et il s'aperçut que son angoisse se reflétait dans les énormes prunelles de l'étalon.

Celui-ci s'agitait, grattait du sabot le plancher, tirait avec violence sur ses cordes.

« MacGregor » s'éloigna de lui, reprit place sur

la chaise de toile. Cette course de Preston, comme
il avait envie d'y participer ! Depuis quelques jours,
il y pensait sans cesse. Et maintenant, il se disait :
« J'ai tort de m'inquiéter. Il ne peut rien m'arriver
de mal. Je serai revenu au ranch demain soir. Si,
en ce moment, je cède à la peur, c'est parce que je
m'éloigne de ce qui me protégeait jusqu'ici, ce
ranch tranquille dans les montagnes. Il faut que
je me raisonne, que je retrouve mon sang-froid... »

Il demeura immobile sur sa chaise jusqu'à ce que
toute frayeur l'eût quitté. Il avait cessé de chercher
à réveiller sa mémoire. Pour l'instant, il s'en rendait compte, il lui était impossible de se concentrer.
Après la course, bien sûr, lorsqu'il aurait regagné le
ranch, les choses seraient différentes. Il ne pouvait
présentement qu'attendre, ainsi qu'il le faisait
depuis des jours et des jours.

Une heure plus tard, le van commença de descendre avec lenteur une pente interminable. La
route comportait de nombreux virages et frôlait çà
et là des précipices vertigineux. A d'autres endroits,
de hautes parois rocheuses, qui semblaient se
rejoindre à leur sommet, masquaient la faible
clarté des étoiles.

Enfin, le véhicule prit de la vitesse. Il traversait
maintenant une vallée encaissée à l'extrémité de
laquelle se dressait une deuxième chaîne de mon-

tagnes. Au bout d'une heure, Allen freina, franchit
un pont. Sous ce pont, à une cinquantaine de mètres
au moins, rugissait un torrent dont les eaux,
argentées par la lune, paraissaient, en raison de la
distance, d'une complète immobilité.

Après le pont, le van roula de nouveau plus vite,
gravissant de petites collines couvertes de sauge.
Finalement, comme il se trouvait au sommet d'une
de ces collines, les lumières de Preston apparurent
au loin, sur un fond de montagnes.

Le véhicule accéléra encore et atteignit bientôt
les faubourgs de la ville. Les maisons paraissaient
minuscules comparées aux pics qui se dressaient
à l'arrière-plan, mais leurs lumières, rouges, vertes
et blanches, étincelaient dans la nuit.

Le van passa devant la gare du chemin de fer,
traversa les rails et fila bientôt sans bruit sur des
chaussées bien pavées. Les rues, généralement
larges, étaient bordées de trottoirs où fourmillaient
les passants. Il y avait des cow-boys coiffés de chapeaux de feutre gris, vêtus de pantalons étroits et
de chemises aux couleurs éclatantes. Ils étaient
venus à Preston pour participer aux courses et à
différentes épreuves, plus spécialement aux rodéos,
et ils comptaient bien rentrer chez eux les poches
pleines. On voyait encore des Indiens descendus de
leurs réserves. Les uns, accroupis sur les trottoirs,

vendaient les produits de leur travail : vases,
paniers, colliers. Les autres, adossés aux murs, le
regard absent, attendaient avec patience le lendemain. Eux aussi prendraient part aux courses. Ils
les aimaient, en connaissaient les moindres secrets.
Ces Navajos avaient appris à monter dès leur plus
jeune âge et, pour eux, rien n'était plus précieux
que leurs chevaux.

Rue après rue, le van cheminait. Parfois, il devait
s'arrêter pour céder la place aux piétons, ou pour
attendre que se résorbât un embouteillage, car les
voitures de tourisme, les taxis et les autobus étaient
nombreux. Lentement, il longea le parc municipal,

des magasins, des restaurants. Enfin, il laissa derrière lui les dernières maisons et se lança sur une route nationale à circulation intense. Il roula ainsi sur une distance d'un kilomètre cinq cents. Après l'aéroport, dont la tour de contrôle balayait la nuit de son signal lumineux, il vira à droite, prit une route moins large et se dirigea vers l'hippodrome.

D'un côté de la piste ovale, longue de huit cents mètres, se dressaient les tribunes. De l'autre, s'alignaient des écuries sans toiture où des chevaux étaient déjà enfermés. Un seul éclairage : quelques lampes électriques nues. Derrière les écuries, des camions, des vans et des tentes abritaient d'autres chevaux.

Le van d'Allen alla jusqu'à l'extrémité de la ligne des écuries et ne s'arrêta qu'à l'endroit où commençait l'obscurité.

« MacGregor » attendit qu'on ouvrît la porte. Il savait, depuis qu'il entendait hennir les chevaux, que le voyage était terminé.

La porte s'ouvrit, et, dans l'encadrement, se dessinèrent la tête et les épaules d'Allen.

« Mac ?

— Oui, patron.

— Je suppose que tu veux le faire marcher un peu ? Il doit être engourdi. Hank conseille de lui faire prendre de l'exercice.

— Inutile, patron. Nous allons rester à l'intérieur, lui et moi. Je vais le détacher. Il pourra aller et venir. Il n'a pas besoin de plus d'exercice que ça. »

Allen n'insista pas. « MacGregor » l'entendit échanger quelques mots à mi-voix avec Larom. Puis le maître du ranch reprit :

« Où dormiras-tu, Mac?

— Dans la stalle. Ne craignez rien. Je ne risque pas d'être piétiné.

— A ton aise. Mais étends de la paille dans le fond du van. Je ne voudrais pas que l'étalon glisse sur le plancher.

— Bien, patron. »

La conversation chuchotée recommença, se prolongea pendant une bonne minute.

Pour finir, Allen annonça au jeune garçon :

« Hank dormira dans la cabine. Appelle-le, si tu as besoin de lui.

— Je n'y manquerai pas, patron. Bonne nuit.

— Bonne nuit, Mac. Tu as une torche?

— Oui, patron. »

La porte fut refermée. Peu après, « MacGregor » entendit Larom grimper dans la cabine. « Allen lui a donné l'ordre de monter la garde jusqu'à l'heure de la course, pensa-t-il. Il se méfie. Evidemment, ce serait pour lui un coup dur si, demain matin, j'avais disparu! »

Il alluma sa torche, prit plusieurs balles de paille et les répandit sur le sol. Après quoi, il plaça un seau d'eau et une ration d'avoine dans un angle, au fond du véhicule, puis il détacha l'étalon. Celui-ci sortit de la stalle et se mit à flairer à droite et à gauche jusqu'à ce qu'il eût trouvé sa nourriture et sa boisson.

« MacGregor » balaya la stalle, y déplia un léger lit de camp, s'allongea. Ensuite, il ne lui resta plus qu'à tendre l'oreille aux déplacements de son cheval. Parfois, lui parvenait un peu de la fumée des feux allumés à cinquante mètres du van. Il se représentait les sangles, les brides, les couvertures, les tapis de selle accrochés à des fils de fer. Il se rendait compte de la fièvre qui régnait parmi les lads et les jockeys. Il les entendait marcher, chanter, s'interpeller gaiement. Il en serait ainsi toute la nuit. Mais, demain, les choses changeraient. Les hommes cesseraient de rire et céderaient la place aux spectateurs venus examiner les concurrents avant la course. Alors, dans ces coulisses de l'hippodrome, commencerait une longue attente.

Pas de foin aujourd'hui... Renvoyez les visiteurs... Il faut être à une heure juste à la ligne de départ.

Où « MacGregor » avait-il entendu tout cela, et quand? Il ferma les yeux. Il ne voulait plus penser

à rien, mais dormir. Oui, seulement dormir! Il
concentra son attention sur l'étalon noir qui continuait à aller et venir, sans doute pour dissiper
l'engourdissement de ses membres. A la fin, bercé
par l'incessant piétinement des sabots dans la
paille, il s'abandonna à un sommeil profond.

Quand il s'éveilla, la lumière grise de l'aube se
glissait derrière lui par la petite ouverture qui
permettait de communiquer avec la cabine. Voyant
l'étalon couché sur le sol, à quelques pas, il pensa :
« C'est bon signe. Il doit être bien reposé maintenant. » Dès qu'il bougea, l'étalon tourna la tête
vers lui.

« C'est le grand jour! » lui dit le jeune garçon à
voix basse.

La porte s'ouvrit. « MacGregor » se leva. Larom
lui tendit deux seaux :

« Bonjour, Mac. Voilà de l'eau fraîche.

— Merci, Hank. »

« MacGregor », après avoir rempli l'abreuvoir de
l'étalon, revint vers Larom en disant :

« Il faudrait lui faire prendre un peu l'air.

— Bien sûr. Malheureusement, Allen n'est pas
de cet avis. Il veut le montrer brusquement à tout
le monde, même à Herbert et à Vent de Nuit.
C'est une idée que je ne comprends pas. Mais
Allen est le maître, n'est-ce pas? »

« *Bonjour, Mac, voilà de l'eau fraîche.* »

Dès que Larom fut parti, « MacGregor » versa de l'avoine dans la mangeoire. Il se savait responsable de la décision prise par Allen. Ne lui avait-il pas dit : « Il vaudrait mieux, si on désire qu'il reste calme, le garder jusqu'au dernier moment à l'écart des autres chevaux. D'autre part, je ne suis pas partisan d'un galop d'essai. Comme ça, M. Herbert n'aura pas la moindre idée de la rapidité du concurrent de son cheval. Ce sera pour nous un grand avantage. »

Peu après, quand Larom reparut, le jeune garçon lui demanda :

« Où est Ralph Herbert?

— En ville. Mais ça ne change rien. Son entraîneur et ses lads sont ici, et soignent Vent de Nuit. Si nous faisions faire un tour de piste à notre étalon, Herbert et la ville entière seraient renseignés sur son compte avant midi. Le patron a dit : « Personne ne doit le voir. » Obéissons.

— Et lui, où est-il?

— Il est retourné en ville hier soir. Il veut donner à Herbert l'impression que nous y sommes tous restés.

— Qu'est-ce qui empêche Herbert de nous chercher ici et... de nous trouver? »

Larom sourit.

« Il y a de nombreux vans semblables au

nôtre. La plupart abritent des chevaux. Selon Allen, Herbert n'est pas homme à perdre une matinée à chercher un cheval. »

Il se tourna vers le campement.

« Ça commence à bouger. Jusqu'ici, je n'ai pas été fichu de dénicher un peu de café. Depuis notre départ du ranch, nous n'avons mangé qu'un sandwich! »

Pendant que Larom parlait, le jeune garçon regardait, au-delà de l'hippodrome, la plaine qui se déroulait à l'infini. Puis, après un coup d'œil au ciel encore sombre :

« Laissez-moi l'emmener là-bas, Hank. Il n'a besoin que d'un petit temps de galop. D'ailleurs, si j'ai bien compris, M. Allen ne lui a interdit que la piste. Il n'a pas fait allusion à la plaine. »

Larom regarda « MacGregor » droit dans les yeux.

« En effet, Mac, il n'a rien dit au sujet de la plaine. Mais il m'a ordonné de te suivre partout. Or, je n'ai pas de cheval...

— Je ne comprends pas pourquoi il vous a donné cet ordre. Que craint-il de ma part?

— Je ne sais qu'une chose, Mac : je dois obéir. Allen a sûrement son idée. Je suppose qu'il veut mettre toutes les chances de son côté. Il craint peut-être qu'il ne t'arrive... un ennui... un accident! Com-

ment lui reprocher sa prudence? Il joue gros jeu.
S'il perd, il devra donner Eclair à Ralph Herbert.
Et toi, si tu ne montais pas l'étalon noir, qui pour-
rait te remplacer? Personne.

— Hank, vous souhaitez pour nous la victoire,
n'est-ce pas?

— Evidemment!

— Alors laissez-moi faire. Qu'est-ce que je
demande? Un petit galop. Songez que l'étalon est
enfermé dans ce van depuis notre départ du ranch...
depuis hier après-midi! Permettez-lui de se détendre un peu. Ensuite, il sera au point pour courir. »

Un instant. Larom parut hésiter. Enfin il
déclara :

« Entendu, Mac. Je suppose que tout se passera
bien... que personne ne te verra. »

Cinq minutes plus tard, après avoir sellé et bridé
l'étalon, « MacGregor » lui fit descendre la rampe.
Larom formula quelques recommandations et
conclut :

« Entraîne-le comme tu l'entends. Mais, surtout,
reste dans les parages!

— Cessez de vous faire de la bile, Hank. Je serai
de retour dans quelques minutes. »

Il sauta en selle, mit sa monture au trot, puis
au petit galop. Il voulait simplement que l'étalon
se décontractât. Un moment, il prêta l'oreille au

roulement régulier des sabots. Après quoi, il se
pencha sur l'encolure et murmura quelques mots
dans les oreilles qui se couchaient au son de sa
voix. Il savait que l'étalon n'avait qu'un désir :
foncer. Aussi lui disait-il :

« C'est trop tôt. Il faut que tu attendes encore
plusieurs heures. Pour l'instant, galope tranquillement, à ton aise. Plus tard, tu pourras te donner
à fond. »

Il parcourut ainsi huit cents mètres, puis fit
demi-tour. Debout sur ses étriers, il ne regardait pas
Larom, qui l'attendait avec impatience. Il regardait, plus loin que Larom, et paraissant toute
proche dans la lumière du matin, la chaîne des
montagnes. « Allen lui-même, songeait-il, ne se
doute pas qu'hier j'ai eu envie de fuir avec mon
cheval. Nous nous serions cachés dans ces montagnes, et nul ne nous aurait jamais retrouvés.
Aujourd'hui, pourquoi tenterais-je de mettre un
semblable projet à exécution? Je ne risque plus
rien, puisque, tout de suite après la course, je
regagne le ranch... »

De retour près du van, il bouchonna énergiquement l'étalon, lui jeta une couverture sur les
épaules et l'enferma à l'intérieur du véhicule. Puis,
en compagnie de Larom, il se dirigea vers celle des
tentes qui servait de cantine. Là, il s'assit sur un

tabouret et releva le col de son veston. Il craignait
d'être reconnu. Mais cette crainte se dissipa presque sur-le-champ. Qui aurait pu le reconnaître
parmi tous ces hommes qui bavardaient entre eux,
riaient, criaient, parmi tous ces cow-boys remuants
et braillards? Le mieux, pour échapper aux soup-
çons, n'était-il pas de les imiter? En tout cas, c'était
le seul moyen de passer inaperçu.

Après avoir pris leur petit déjeuner, « MacGregor » et Larom revinrent au van. Allen les y attendait. Ils montèrent tous les trois à l'arrière du
véhicule, s'assirent dans la paille et observèrent
l'étalon noir. A maintes reprises, le jeune garçon

ne put s'empêcher d'examiner Allen. Il n'avait jamais vu un visage exprimant plus intensément l'angoisse de l'attente. Il se tourna vers Larom et découvrit que le visage de celui-ci reflétait le même sentiment. Alors, il se demanda : « Et mon visage a moi, que peut-on y lire en ce moment? »

Il dit :

« Il reste juste une heure et demie... »

Ayant à peine reconnu sa voix, il comprit que son expression et ses sentiments ne devaient être guère différents de ceux de ses compagnons.

Une demi-heure avant la course, Allen déclara :

« Je crois qu'une tasse de café ne nous ferait pas de mal. »

Il entraîna Larom et « MacGregor » vers la cantine. Au début, pas un mot ne fut prononcé. Assis entre Allen et Larom, le jeune garçon songeait moins à sa tasse de café qu'à la course. Elle était inscrite en tête du programme de la journée. Dans moins d'une demi-heure...

Il y avait déjà longtemps que des spectateurs avaient empli les tribunes. D'autres se promenaient le long de la piste. Des voitures, en une file interminable, arrivaient sans cesse de la route nationale.

« Je voudrais bien que cette affaire-là soit terminée! »

« MacGregor » crut que cette exclamation avait été poussée par Allen, placé à sa droite. Mais ce n'était pas Allen qui avait parlé. C'était son voisin le plus proche, un homme de petite taille, différent des cow-boys en ce qu'il ne portait pas de chapeau à larges bords, ni de chemise aux couleurs criardes. Rien ne paraissait bien remarquable dans sa personne maigre, au visage ratatiné... rien sinon ses mains... énormes !

Brusquement, « MacGregor » détourna la tête. Il connaissait le nouveau venu, il l'avait déjà vu ! Mais où et quand ? Il avait l'impression que ce personnage mystérieux venait de surgir de son passé...

Le petit homme disait à Allen :

« C'est moi qui monte Vent de Nuit. Herbert me tient sous contrat. J'obéis à ses ordres. Pourquoi m'a-t-il fait venir ici ? Je l'ignore. De cette façon, je manque deux bonnes courses qui ont lieu aujourd'hui à Santa Anita. Mais il m'a dit : « Tu vas à Preston. » Alors, je suis venu. Si j'avais refusé, il m'aurait dit : « Rupture de contrat. Tu peux aller te faire pendre ailleurs. » Pourquoi a-t-il voulu que je monte Vent de Nuit ? Ce cheval-là n'a pas besoin de moi pour gagner, que ce soit à Santa Anita ou n'importe où. Bien sûr, Herbert me paie convenablement. Il ne manque pas de jockeys parmi ses cow-boys. Alors, pourquoi, bon sang ! m'a-t-il fait venir ici où ma présence n'était vraiment pas indispensable? »

Allen vida sa tasse de café et répondit en descendant de son tabouret :

« Je suis comme vous, je n'en sais rien. »

Puis il entraîna ses compagnons vers la sortie de la cantine. Il était très pâle.

« Je ne croyais pas, dit-il, que Herbert nous enverrait son meilleur jockey. C'est la preuve qu'il ne considère pas cette course comme une plaisanterie.

— Et qu'il a grande envie de devenir le propriétaire d'Eclair! » compléta Larom.

« MacGregor » garda le silence.

Les trois compagnons se frayèrent un chemin dans la foule joyeuse qui stationnait autour des écuries. Ils marchaient l'un derrière l'autre. « MacGregor » allait en tête. Il pressait même le pas, tant il avait hâte de s'éloigner de la cantine. Soudain, la gorge serrée, il s'arrêta. Il regardait fixement un homme de haute taille qui se dirigeait vers lui. Il aurait voulu tourner les talons, fuir. Il il était incapable du moindre mouvement. Cet homme, ce n'était pas la première fois qu'il le voyait. Il reconnaissait sans peine les lourdes épaules, le visage plein, le complet gris, le feutre à larges bords, l'étoile d'argent qui scintillait sur le gilet... Le shérif de Leesburg! Et, derrière le shérif, cette silhouette voûtée, dégingandée, Cruikshank!...

Alors « MacGregor » comprit : « C'est à moi qu'on en veut! » Malgré son engourdissement, il pivota sur lui-même, essaya de fuir, se trouva nez à nez avec Allen. D'abord surpris, le maître du ranch prit peur quand « MacGregor » le repoussa presque avec violence. Mais, à ce moment, ce dernier sentit une main s'abattre sur son bras, tandis que s'élevait la voix du shérif :

« Mon garçon, je t'arrête. Tu es soupçonné de vol et de complicité de meurtre. »

CHAPITRE XVIII

UN PIÈGE BIEN TENDU

« MEURTRE! »

« MacGregor » voulut répéter le mot, mais ne parvint pas à lui faire franchir la barrière de ses lèvres. Il regarda Allen, constata que ce dernier était plus pâle que jamais. Puis il le vit essayer de sourire et l'entendit s'exclamer :

« Allons, Tom, c'est une plaisanterie! Vous choisissez mal votre moment. Nous courons dans quelques minutes. »

Le shérif, dont les doigts s'enfonçaient dans le bras du jeune garçon, répondit sans animosité, mais d'un ton ferme :

« Non, Allen, ce n'est pas une plaisanterie. Dans toute la région et dans l'Utah, on recherche ce garçon. Un hold-up dans un restaurant. Ses trois complices sont sous les verrous. »

Puis, baissant un peu la voix :

« Le caissier du restaurant est mort il y a une quinzaine de jours des blessures reçues au cours de ce hold-up.

— Ne restons pas ici, Tom. C'est un mauvais endroit pour bavarder.

— Il n'y a qu'un endroit où je puisse l'emmener, Allen...

— Avant que vous fassiez... ce que vous avez l'intention de faire, Tom, je voudrais que vous me donniez tout de même certains éclaircissements. »

Puis, avisant Cruikshank qui semblait se cacher derrière le shérif, Allen ajouta avec un grondement irrité :

« Qu'est-ce que Cruikshank fabrique ici? Qu'a-t-il à voir là-dedans? »

Le shérif répondit, toujours avec le même calme :

« Il m'a fourni des renseignements précieux. Par exemple, il m'a montré ce que je n'avais pas remarqué jusqu'ici... que le signalement de « MacGregor » correspond exactement à celui du jeune homme qui a participé au hold-up. Mais, si vous y tenez, nous pouvons nous éloigner d'ici. Je vous raconterai le reste. »

Sur ces mots, le shérif poussa le jeune garçon à travers la foule. « MacGregor » tenait les yeux baissés. Tout lui était devenu indifférent. On le recherchait pour meurtre. Alors, à quoi bon tenter encore une fois de se dérober?

Ils s'arrêtèrent, sur le conseil d'Allen, près du van. Il n'y avait personne à cet endroit. « MacGregor » entendit l'étalon marteler le plancher du véhicule. Puis, à l'intérieur, ce fut le silence. « Peut-être, pensait le jeune garçon, me permettra-t-on de le toucher, de le voir une dernière fois. Il faudrait que ce soit Allen qui le demande... »

Le shérif tira des papiers de sa poche :

« Voici l'affiche officielle apposée dans mon bureau, et aussi les coupures de journaux qui m'ont été remises hier soir par Cruikshank quand il est venu me parler du garçon qui travaillait à votre ranch. »

Allen lut les détails du hold-up, ainsi que le signalement du malfaiteur recherché par la police.

Après quoi, il examina « MacGregor » des pieds à la tête.

« Ça correspond bien, n'est-ce pas, Allen? dit le shérif.

— Sans doute. Mais vous n'avez pas de certitude. En somme, c'est sur un simple soupçon que vous allez le jeter en prison! »

Le shérif esquissa un sourire.

« Je remplis ma mission, Allen. Le signalement correspond. Donc, je dois l'incarcérer. »

Il se tourna vers « MacGregor ».

« D'ailleurs, il s'est enfui quand il m'a vu. C'est un aveu. »

Allen s'approcha du prisonnier.

« Mac, es-tu coupable? Es-tu vraiment celui qu'on recherche? »

Comme « MacGregor » restait les yeux obstinément baissés, le maître du ranch insista avec douceur :

« Tu peux tout me dire. Si tu es mêlé à cette affaire, je t'aiderai. Nous lutterons ensemble. Souviens-toi, Mac, si c'est vraiment toi qu'on recherche... tu n'étais que le guetteur des autres... tous des adultes. Or, tu n'es pas beaucoup plus qu'un adolescent. Ces gens-là ont pu te contraindre à collaborer avec eux. »

Après cela, Allen et le shérif attendirent. Mais

« MacGregor » refusait de lever la tête. Quant à parler, il en était incapable. D'ailleurs, à quoi bon répondre qu'il ne savait rien? Bien sûr, il se souvenait de certains détails, la blessure au sommet de son crâne, les souffrances qui l'avaient torturé ensuite durant des jours, ses mains écorchées, les billets de banque, tachés de boue et peut-être de sang, qu'il avait trouvés dans sa poche. Il ne savait rien d'autre. Pourtant, Allen tentait de le persuader qu'il était étranger à ce hold-up qui avait coûté la vie au caissier du restaurant. S'il en était ainsi — s'il n'avait pas participé à une bagarre — où avait-il reçu ses blessures?

Soudain, dominant le brouhaha lointain des voix, un clairon sonna. Lorsque sa dernière note se fut envolée, une acclamation assourdissante lui succéda. « MacGregor » lui-même leva la tête et tourna son regard vers le cheval qui, là-bas, à plusieurs centaines de mètres, passait devant les tribunes. C'était Vent de Nuit. Il se rendait à la ligne de départ.

Toujours aussi pâle, Allen dit à Larom :

« Hank , vous feriez mieux de leur annoncer que la course est annulée. »

Larom ne bougea pas. Tandis qu'éclatait une nouvelle vague d'acclamations, il ouvrit la bouche. Que voulait-il dire au shérif? Mais celui-ci le devança et, s'adressant à son prisonnier :

« Petit, il est temps de partir. J'espère que tu ne me feras pas d'ennuis. »

Larom put enfin prendre la parole :

« Vous savez, Tom, une course de mille six cents mètres, ce n'est pas bien long... »

Le shérif comprenait sans peine où Larom voulait en venir. Pour toute réponse, il se contenta de secouer la tête. Allen, qui lui aussi avait parfaitement compris, se contenta de dire :

« Je t'accompagne, Mac. Hank restera ici.

— Désolé, Allen, intervint le shérif. Je me rends compte de ce que cette course représentait pour vous.

— Il est plus dur de perdre avant qu'après une course », répliqua Allen avec un sang-froid assez mal joué et qui ne pouvait tromper personne. « Mac a de graves ennuis. Je désire l'aider, si je le peux. D'ailleurs, il y a d'autres courses.

— Mais pas de cheval qui puisse être comparé à Eclair », fit observer le shérif.

Une brusque colère assombrit les yeux d'Allen :

« Changeons de sujet, si vous le voulez bien, Tom ! Vous avez trouvé ce que vous cherchiez, n'est-ce pas ? Eh bien, partons maintenant. »

Cependant, le shérif demeurait toujours planté au même endroit. Cruikshank, qui était resté à deux pas derrière lui, comme dans son ombre, crut devoir intervenir.

« Qu'est-ce que nous fabriquons ici? Nous prenons racine? Shérif, emmenez votre prisonnier. Mettez-le en cellule. J'y ai bien croupi, moi! »

Chacun s'était tourné vers lui. Larom lança :

« Tu as su tendre ton piège, Cruikshank! Tu n'aurais pu choisir meilleur moment.

— Je ne sais pas ce que tu veux dire! riposta Cruikshank avec un regard fuyant. Je n'ai fait que mon devoir. Maintenant, shérif, en route! »

Le shérif grommela :

« Nous partirons quand je l'aurai décidé. Pas avant. »

De nouveau, le clairon se fit entendre. La foule, pour marquer son impatience, frappait du pied en cadence le plancher des tribunes.

« Hank, dit Allen, je vous ai déjà prié d'aller annoncer que la course n'aura pas lieu. »

Une fois encore, Larom ne bougea pas. Il avait compris l'indécision du shérif.

« Tom, articula-t-il d'une voix calme, cette course, je le répète, est l'affaire de quelques minutes. Elle est importante pour nous, mais aussi pour Mac. Il s'est donné beaucoup de mal pour entraîner cet étalon. »

D'un mouvement brusque, Cruikshank empoigna

« MacGregor » par l'épaule et tenta de l'arracher à l'étreinte du shérif.

« Pas question de le laisser participer à la course! Il faut qu'il aille en cellule, comme j'y suis allé moi-même! »

Le shérif se tourna vers Cruikshank.

« Bas les pattes, je vous prie! »

Avec un soupir, Cruikshank lâcha « MacGregor ».

« Parfait, reprit le shérif. Maintenant, Hank, courez avertir les organisateurs que votre cheval sera à la ligne de départ dans un instant. »

Puis, s'adressant à Allen :

« Vous le voyez, je vous donne satisfaction. Mais vous veillerez sur ce garçon. Vous en êtes responsable jusqu'à la fin de la course. »

« MacGregor » sentit qu'on le poussait vers le van. Quand la porte fut ouverte et qu'il vit l'étalon noir, il pensa : « Moi qui croyais que c'était la fin! Avec lui, je vais pouvoir m'enfuir... »

On abaissa la rampe. Allen dit à mi-voix :

« Occupe-toi de ton cheval, Mac. Après la course, je t'accompagnerai. Tu n'as rien à craindre. Je te donnerai le meilleur avocat. Je ferai en sorte que... »

Mais « MacGregor » n'écoutait pas. Il pénétra dans le véhicule. Quand il eut sellé et bridé l'éta-

lon, il lui fit descendre la rampe. Seuls le shérif et
Allen étaient encore présents... sans oublier, à l'arrière-plan, la foule des turfistes. Cruikshank, vaincu
pour la deuxième fois, s'était esquivé... comme
« MacGregor » lui-même projetait de s'esquiver dès
la fin de la course. Le jeune garçon eut un élan de
pitié pour Cruikshank. Il savait d'expérience ce
qu'il en coûte d'être un perpétuel vaincu, de vivre
dans la crainte, de se cacher, de fuir...

Allen s'approcha.

« Tu n'as pas le temps de mettre la casaque.
D'ailleurs, c'est sans importance.

« MacGregor » était bien de cet avis. Il sauta en
selle, rassembla les rênes. A son contact, il sentit
l'étalon tressaillir. Il le maîtrisa. Le superbe animal, frémissant, semblait prêt à fournir la plus
grande course de sa carrière. Mais, dans cette
épreuve, il n'aurait pas d'adversaire. Vent de Nuit?
Il pouvait bien aller au diable ! En effet, il n'y aurait
pas de course du tout. « MacGregor » avait l'intention de galoper vers la montagne, de s'y enfoncer,
d'y rester à jamais. Même s'il devait y périr, il
préférait encore un tel destin à la prison où
voulait le conduire le shérif. Quant à l'étalon, il lui
rendrait la liberté, il le laisserait redevenir sauvage.

« Prêt? » demanda Allen dont la main, sur l'un

des genoux du jeune garçon, semblait trembler de fièvre.

« MacGregor » fit « oui » de la tête, les yeux fixés devant lui. Il ne voulait plus regarder le maître du ranch. Il avait peur de faiblir à la pensée du tort qu'il s'apprêtait à lui causer. Le shérif se tenait de l'autre côté de l'étalon, à quelques mètres. Si Allen s'écartait un peu... « MacGregor » avait l'intention de faire pivoter brusquement sa monture. Mais il souhaitait ne blesser personne. Il voulait seulement fuir.

Quand Allen enleva sa main du genou du jeune garçon, celui-ci pensa : « C'est le moment. Allons-y ! »

CHAPITRE XIX

LA COURSE

CEPENDANT, Allen ne s'éloigna pas. Il glissa sa main le long de l'encolure, puis le long de la tête et saisit la bride. C'était le première fois qu'il touchait l'étalon. Bouleversé par les événements, il semblait avoir oublié toute prudence. Sans doute ne pensait-il qu'à cette course qui, si peu de temps auparavant, lui paraissait bel et bien perdue pour lui. Après l'épreuve, il s'occuperait de « MacGregor ». Mais, pour l'instant, il ne voulait avoir qu'un souci : la course.

« Tom, dit-il au shérif, vous trouverez une cravache dans le coffre du van. Voulez-vous être assez aimable pour me l'apporter? »

Après quoi, il se mit en marche.

« MacGregor » respirait à peine et la tête lui tournait quand l'étalon suivit Allen avec docilité. « Voilà mes projets bien compromis! » songea-t-il. Il ne pouvait plus rien faire d'autre que d'attendre une nouvelle occasion de se libérer. Il se leva sur les étriers, se pencha sur l'encolure et se mit à parler à son cheval, pour lui rappeler qu'il existait, qu'il était toujours là. Mais la petite tête si finement modelée ne montra par aucun signe qu'elle restait sensible au son de sa voix, à ses caresses. Les oreilles ne se couchèrent même pas pour capter ses paroles. L'étalon semblait tendu tout entier en vue de l'effort qu'on allait lui demander.

Allen continuait à marcher, s'approchait de plus en plus de la piste. Le jeune garçon commença de distinguer les visages des turfistes. Alors, pris de panique, il décida : « Tant pis pour Allen. Je fuis! » Il tira sur les rênes. Surpris, Allen le regarda. « MacGregor » était sur le point de faire pivoter l'étalon lorsque le shérif reparut, tendit la cravache au maître du ranch.

Deux secondes plus tard, « MacGregor » constata qu'il serrait la cravache dans sa propre main et qu'Allen s'était remis en marche. Il ne se souvenait pas d'avoir détendu ses rênes. Il regarda la cravache. Il n'en avait pas besoin. Néanmoins il n'osait desserrer ses doigts, la laisser tomber. Il continuait à la regarder. Où avait-il appris qu'il ne devait pas s'en servir, même pour frôler le flanc de sa monture ?

Enfin, ce fut la piste. Des centaines, des milliers peut-être de spectateurs silencieux observaient l'étalon, tandis qu'il passait devant les tribunes. Puis une longue acclamation éclata, assourdissante.

Allen sourit, pensa : « Tout ces gens sont pour nous. Vent de Nuit est originaire du Texas, autant dire un étranger. Tandis que nous, nous sommes du pays ! »

Un haut-parleur annonça :

« Voici le Montagnard, propriétaire Irving Allen de Leesburg, Arizona. »

Les acclamations redoublèrent. « MacGregor » avait l'impression que le sang courait plus vite dans ses veines. L'étalon fit un écart, traversa la piste de biais. Le jeune garçon dit à Allen :

« Maintenant, je crois que vous pouvez le laisser. »

Allen lâcha la bride. Mais il resta sur la piste,

suivit du regard l'étalon. Il se réjouissait. Quel
accueil de la part des spectateurs! L'année précédente, Eclair avait obtenu le même succès... mais
seulement après la course. Il ne fallait donc pas se
réjouir trop tôt. Et Allen, retrouvant son sang-froid,
emboîta le pas à l'étalon noir.

Le jeune garçon continuait à passer devant les
tribunes. Il tenait les rênes d'une main ferme. Il
fermait ses oreilles aux clameurs de la foule pour
n'entendre que le crépitement des sabots de l'étalon noir sur la piste. Maintenant qu'il était délivré
d'Allen, rien ne l'empêchait plus de disparaître.
Il lui suffisait d'emmener l'étalon à l'extrémité de
la piste, de lui faire sauter la barrière. Il serait
loin quand Allen et le shérif comprendraient qu'il
venait de leur brûler la politesse!

« Eh bien, vas-y! se répétait-il. Qu'est-ce que tu
attends? »

Il abaissa les yeux, s'aperçut qu'il étreignait toujours la cravache. Il releva la tête. L'étalon hennit,
pressa l'allure. Sans doute était-il mécontent d'être
maintenu au pas. « MacGregor » s'éleva sur les
étriers, vit devant lui les boîtes de départ, dont les
portes étaient encore fermées. A droite, sur une
sorte d'estrade, se tenait le starter officiel, lequel
cria en s'efforçant de ne pas montrer trop d'impatience :

« Allez donc un peu plus vite! »

Appel familier, aussi bien pour « MacGregor » que pour l'étalon noir, comme leur étaient familiers les boîtes de départ, l'atmosphère de l'hippodrome... Et le jeune garçon se demandait : « Comment Allen et les autres ne comprennent-ils pas que je monte un cheval dressé? Que nous sommes, lui et moi, habitués de longue date aux boîtes de départ? Comment ne le voient-ils pas? Mais, maintenant, quelle importance? »

Machinalement, il fit contourner à sa monture les boîtes de départ. L'étalon piaffait, tirait sur les rênes. « MacGregor » le maintint le long de la barrière, aussi loin que possible de son concurrent qui, lui, était maintenu par son jockey à l'autre extrémité des boîtes. Cependant, le jeune garçon n'arrivait pas à détacher son regard de ce pur-sang bai sombre, marqué de blanc au front et aux jambes. Il connaissait Vent de Nuit. De cela aussi, il était certain!

Il rendit la main à l'étalon noir, le laissa agir à sa guise. L'étalon s'élança d'un galop souple, léger. Rassuré, « MacGregor » pensa : « Avec un cheval comme celui-là, je peux fuir quand je voudrai. » Il le fit pivoter sur lui-même, le ramena au pas. La course? Il allait y jouer son rôle. Il ferait un tour de piste. Ensuite...

L'étalon noir avait découvert Vent de Nuit. Il lui jeta un hennissement de défi qui couvrit les voix des spectateurs. L'œil furieux, il s'avançait vers les boîtes, reculait, avançait de nouveau...

L'un des adjoints du starter s'approcha, sans doute pour mettre fin à cette comédie. Alors, dans les tribunes et le long de la barrière, il y eut des mouvements, un brouhaha. Quand on avait raconté aux spectateurs qu'Allen présentait un étalon encore sauvage deux semaines auparavant, ils avaient refusé de le croire. Maintenant, nombre d'entre eux étaient bien près de changer d'avis.

D'un geste prudent, presque peureux, l'employé tendit la main vers la bride. L'étalon se cabra. « MacGregor » se hâta de le maîtriser et dit :

« Eloignez-vous. Je me charge de le faire entrer. »

L'homme s'écarta de quelques mètres.

« D'accord, mais presse-toi. Tu as une cravache. Sers-t-en s'il le faut. »

Sers-t-en s'il le faut...

« MacGregor » eut l'impression que ces mots lui déchiraient les tympans. Quelques secondes, il regarda fixement la cravache. Et soudain les larmes gonflèrent ses paupières, inondèrent ses joues. Pourquoi pleurait-il ? Maintenant, les larmes l'aveuglaient. Il les essuya d'un geste irrité. Il se tourna vers les tribunes, cherchant la personne qui lui avait donné le même conseil... un jour sans doute bien lointain. Il ne découvrit dans la foule, le long de la barrière, que les silhouettes familières d'Allen, de Larom, du shérif et, derrière ces silhouettes, celle de Gordon.

Alors, il ne voulut plus songer qu'à la course. Il poussa l'étalon vers l'une des boîtes de départ, celle de droite. Un instant après, la porte de derrière se refermait derrière eux. Il ne restait qu'une issue : la porte de devant. Quand elle s'ouvrirait, il serait trop tard pour se raviser.

Le jeune garçon n'accordait aucune attention au

pur-sang et au jockey qui occupaient la boîte voisine. A travers le grillage de la porte, il scrutait la piste qui s'allongeait devant lui, dorée sous le soleil. Soudain, bouche bée, il cessa de respirer : cette piste, en fin de compte, c'était elle la vraie route de son évasion, l'itinéraire qui pouvait lui révéler les secrets de son passé !

Le haut-parleur annonça :

« Le départ va être donné! »

Les spectateurs attendaient, silencieux, les yeux rivés aux portes des boîtes. Ils ne voulaient pas perdre une péripétie. Ils savaient que, dans cet affrontement, deux animaux magnifiques allaient donner toute leur puissance, et qu'il ne s'agissait pas d'un simple sprint de trois cents ou quatre cents mètres, mais d'une lutte qui se prolongerait sur un kilomètre six cents, soit deux fois le tour de la piste. Donc une épreuve très particulière dont on guettait le début dans un mutisme presque général.

Derrière la barrière, juste à la hauteur des boîtes, Ralph Herbert enleva ses lunettes à monture d'écaille et épongea la sueur qui faisait briller son front.

« Je n'aime pas ça, dit-il à son entraîneur, un homme aussi grand et robuste que lui-même. Allen nous a possédés. Ce cheval noir n'a pas été capturé dans les montagnes, du moins récemment. Vous avez vu avec quelle docilité il est entré?

— Oui, répondit l'entraîneur entre ses dents. Mais il a encore assez de sauvagerie pour supporter difficilement les rênes. Si rien n'arrive à Vent de Nuit...

— Il ne lui arrivera rien, prononça Herbert. Cependant, il est certain que ce gamin a de l'autorité sur l'étalon noir. Regardez comme il le maîtrise, comme il le calme!

— Qui est-ce?

— D'après Allen, il s'appelle MacGregor. Il travaille au ranch.

— Vous vous souvenez? Je vous ai déjà dit que son visage ne m'était pas inconnu.

— C'est vrai. J'aimerais bien le voir sans coiffure. Les bords de son chapeau lui cachent presque les yeux.

— Le cheval aussi, reprit l'entraîneur, j'ai l'impression de l'avoir déjà vu. Je suis sûr que ce n'est pas un mustang. Il est plus grand que Vent de Nuit et, semble-t-il, plein de fougue.

— Je sais, je sais, murmura Herbert. C'est pourquoi je ne suis pas trop rassuré. Il me semble qu'Allen nous a joué un tour.

— Possible. Mais regardez, Ralph. Cet étalon noir a dû être sauvage à un moment donné. Il s'est sûrement battu. Il lui reste des cicatrices.

— Je n'en suis pas moins très inquiet. »

L'entraîneur sourit.

« Pourquoi, Ralph? Après tout, même s'il a été sauvage, cet étalon est un cheval de course. C'est la raison pour laquelle Allen a accepté presque sans discussion la distance de mille six cents mètres. Si je vous comprends bien, vous craignez pour Vent de Nuit? Mais Vent de Nuit est meilleur que l'année dernière. Vous le savez aussi bien que moi. Economisez donc votre inquiétude pour Santa Anita. Là, notre pur-sang devra affronter les plus célèbres cracks des Etats-Unis. Et encore, si Vent de Nuit court aussi bien que par le passé, je ne crois pas que nous ayons des raisons de nous faire de la bile. »

Herbert inclina affirmativement la tête.

« Je suis d'accord avec vous. Néanmoins, je me réjouis d'avoir choisi aujourd'hui Eddie Malone comme jockey. Il ne faut pas oublier que, dans cette course, je risque de perdre dix de mes meilleures juments.

— Je sais, Ralph, conclut l'entraîneur. Je vous conseille toutefois de garder votre sang-froid. »

Un peu plus loin, Allen était accoudé à la barrière. Sentant une main se poser sur son bras, il ne se retourna pas. Il ne pouvait détacher son regard des boîtes de départ. Dans quelques instants, les chevaux s'élanceraient. Seuls Larom et le shérif se tournèrent vers le nouveau venu.

« Tiens, salut! Gordon, dit Larom. Qu'est-ce qui a bien pu vous inciter à faire ce long voyage? Leesburg n'est pas à deux pas! »

Gordon saisit Allen par le bras et articula d'une voix aiguë :

« Ce jeune garçon est Alec Ramsay, et son cheval est Black. Allen, vous entendez? Alec Ramsay et Black! »

Les yeux toujours fixés au loin, Allen demanda :

« Vous parlez de MacGregor?

— Il n'y a pas de « MacGregor ». Son nom est Alec Ramsay! »

Allen haussa les épaules. Pour lui, l'important était que le départ pouvait avoir lieu d'une seconde à l'autre.

Qu'importe son véritable nom, Gordon! reprit-il. Je ne sais qu'une chose : il est recherché par la police de Salt Lake City. Tom attend la fin de la course pour le boucler en cellule.

— Vous êtes tous fous! cria Gordon. Il n'a rien fait! Je le répète : c'est Alec Ramsay et son cheval est Black! Ils sont célèbres. Leur avion s'est écrasé dans le Wyoming et... »

Un hurlement de la foule couvrit sa voix :

« Ils sont partis! »

Les portes venaient de s'ouvrir. Devançant Vent de Nuit, l'étalon noir avait bondi et, en quelques foulées, distançait son adversaire. « MacGregor » tira sur les rênes, parla à son cheval, essaya de lui faire comprendre que la course n'était pas sur la piste, mais à travers la plaine. Peine perdue! Déjà l'étalon noir fonçait vers le premier tournant.

Allen, les yeux humides d'émotion, martelait de coups de poing l'épaule de Larom.

« Il va sûrement rester en tête, Hank! C'est comme s'il avait gagné dès le départ! »

Larom approuva énergiquement :

« D'accord avec vous, patron! »

Parmi les milliers de spectateurs, seuls Herbert et son entraîneur restaient silencieux. Un départ en trombe ne les impressionnait guère. Ils savaient que leur champion était bâti pour la distance et que, petit à petit, il remonterait son concurrent. Après tout, il s'agissait d'une course d'un kilomètre six cents. Qu'importait ce qui pouvait se produire au démarrage! D'ailleurs, Vent de Nuit se rapprochait de l'étalon noir, lui reprenait du terrain...

« MacGregor » continuait à tenir la tête. Pourtant, il tirait avec vigueur sur les rênes, essayait, par la parole, de calmer son cheval. En abordant le tournant, c'est-à-dire en s'éloignant de plus en plus

Devançant Vent-de-Nuit, l'étalon noir avait bondi.

des tribunes, il entendit avec moins de netteté les hurlements des spectateurs. L'étalon luttait si vigoureusement contre les rênes que le jeune garçon en avait mal aux bras. Comme il savait faire comprendre à son cavalier qu'il voulait galoper librement, se donner à fond!

« Pas encore, pas encore! » lui criait « MacGregor ».

Un coup d'œil de côté lui permit d'apercevoir Vent de Nuit qui, à l'extérieur, se rapprochait de seconde en seconde. Presque immobile sur la selle, Eddie Malone, le jockey, ne tentait rien pour stimuler sa monture, la laissait agir à sa guise. Un instant, « MacGregor » planta son regard dans celui de Malone. Mais l'étalon noir requérait son attention. Il tirait avec une violence accrue sur les rênes. Le jeune garçon les raccourcit encore. En pure perte! L'étalon allongea ses foulées. Vent de Nuit le rejoignit cependant en plein tournant, et les deux cavaliers galopèrent étrier contre étrier.

« MacGregor » avait l'impression que sa tête allait exploser. Il savait que Vent de Nuit ne s'échapperait pas et que, dès qu'il aurait pris une légère avance, il se détendrait, ralentirait. A moins que son jockey ne le rappelât à l'ordre...

Mais comment « MacGregor » savait-il tout cela? Pourquoi en était-il si sûr? *Parce qu'il se souvenait* d'avoir vu *Vent de Nuit* agir de la même façon à *l'hippodrome de Belmont!* Ce jour-là, Vent de Nuit avait mené le train jusqu'à la moitié du parcours. Puis il avait ralenti, comme pour jeter un coup d'œil aux tribunes. Cravaché par son jockey, il était reparti de plus belle. Cependant, il ne l'avait emporté que d'un cheveu sur Hypérion!

« MacGregor » se mordit les lèvres. « La mémoire me revient! » se répétait-il. Le tournant était dépassé. Devant les cavaliers, se déployait la seconde moitié de la piste. « C'est ici que commence ma course à moi! » murmura le jeune garçon. Il raccourcit ses rênes. L'étalon se débattit. Alors, le jeune garçon tira de plus belle. Il lui faudrait livrer un rude combat pour contraindre sa monture à quitter la piste.

Quand il eut réussi à réduire les foulées de l'étalon noir, il surprit une expression étonnée sur le visage d'Eddie Malone. L'instant d'après, Vent de Nuit surgissait, s'éloignait d'un galop puissant, souple... et, selon son habitude, ralentissait, se mettait presque à flâner, regardait les rares spectateurs qui, à cet endroit, étaient accoudés à la barrière. La punition ne se fit pas attendre. Malone cravacha le pur-sang d'Herbert. Vent de Nuit sursauta, repartit à bonne allure.

Pendant ce temps, « MacGregor » luttait toujours

pour contraindre l'étalon noir à obliquer et à sortir de la piste. Il perdait patience, commençait à se demander s'il pourrait continuer à tirer sur les rênes. Il se souvint alors de sa cravache. Il la leva. A ce moment, des paroles résonnèrent dans son esprit :

« *Prends cette cravache,* disait un petit homme aux jambes torses, en pyjama. *Tu peux t'en servir... si tu le juges nécessaire.* »

Et le jeune garçon s'entendit répondre :

« *Si je le cravachais, il me tuerait!* »

Il ouvrit les doigts. La cravache tomba sur le sol. Il lui semblait avoir serré un tison dans sa main. Il appliqua sa paume brûlante contre l'encolure humide du cheval. Il y colla sa joue et se mit à parler d'une voix coupée de sanglots. Sans s'en rendre compte, il avait détendu les rênes. Il ne s'aperçut pas que l'étalon noir, libéré, fonçait de nouveau en trombe sur la ligne droite. Il n'était sensible qu'au tourbillon qui affolait son esprit.

L'étalon galopait si vite qu'il semblait frôler à peine la piste. Il aborda le second virage. Il se rapprochait petit à petit de Vent de Nuit. S'apercevant qu'il était talonné, Eddie Malone refit usage de sa cravache. Mais, déjà, la tête de l'étalon noir atteignait les étriers de Malone. Et le virage était franchi! La foule des tribunes, dressée, hurlait à

pleines gorges. Les chevaux galopaient maintenant
côte à côte, et ils avaient déjà presque terminé le
premier tour de la piste.

Eddie Malone, secoué comme un fétu sur sa
selle, utilisait ses mollets, ses pieds. Toutefois,
jugeant sa cravache désormais inutile, il ne l'employait plus. Vent de Nuit s'était senti provoqué,
défié. Il n'avait plus besoin de stimulant pour montrer ce dont il était capable.

Herbert frappa la barrière du poing quand les
concurrents passèrent devant lui. Couché sur l'encolure, « MacGregor » demeurait absolument immobile, ne tentait rien pour aiguillonner l'étalon noir.
Pourtant, celui-ci demeurait à la hauteur exacte de
Vent de Nuit.

L'entraîneur de Herbert dit à son patron :

« Ralph, nous le tenons, vous pouvez me croire !
Maintenant, il n'y a pas un cheval qui pourrait laisser le nôtre en plan ! »

Herbert n'en demeurait pas moins inquiet. « Allen m'a trompé, se répétait-il. Ce cheval noir ne
court pas pour la première fois. Où diable ai-je
pu le voir ? Vent de Nuit aurait dû déjà le semer.
Qu'est-ce qu'il fabrique ? Ma parole, il dort ! »

Un peu plus loin, Gordon criait :

« Vas-y, Alec ! Vas-y ! »

Il écarta Allen et le shérif, et atteignit la barrière

juste au moment où les concurrents reprenaient le premier virage.

« Voyons, Gordon, un peu de calme, dit le shérif. Ce n'est jamais qu'une course de chevaux.

— Vous ne comprenez donc rien? cria de plus belle Gordon. Alec Ramsay et Black affrontent le pur-sang le plus rapide des Etats-Unis! Ce n'est pas une course ordinaire! »

Allen ne s'était même pas retourné. Il gardait les yeux fixés sur les chevaux. Mais une sorte de brume lui brouillait la vue.

« Qu'est-ce qui se passe? demanda-t-il. L'un de vous pourrait-il me renseigner? L'étalon noir a-t-il pris la tête?

— Non, répondit Larom. Mac a de nouveau raccourci les rênes. Et l'étalon recommence à se
débattre.

— Mais pourquoi Mac ne le laisse-t-il pas aller?

— Est-ce que je sais? demandez-le-lui! »

En effet, « MacGregor » avait raccourci les rênes.
Et, malgré la colère de l'étalon, il continua de le
retenir jusqu'à ce que Vent de Nuit, après le tournant, l'eût dépassé de trois longueurs. L'esprit du
jeune garçon restait la proie de pensées contradic-
toires qui se heurtaient, se bousculaient. L'une
d'elles cependant, quelques secondes auparavant,
s'était une fois de plus imposée : pour lui, « Mac-
Gregor », la course ne devait pas avoir lieu sur la
piste, mais à travers la plaine immense! C'est pourquoi il freinait son cheval, essayait de le plier à sa
volonté.

Sans un regard pour Vent de Nuit qui continuait
seul son chemin, il éloigna l'étalon de la barrière
de gauche, le dirigea vers le milieu de la piste. Il
n'était occupé que de la tête sombre à crinière
touffue qui se secouait, cherchait à se débarrasser
de la contrainte que lui imposaient les rênes ten-
dues à se rompre. En sciant la bouche de son cheval,
il réussit à l'amener tout près de la barrière exté-
rieure. L'étalon se débattait toujours avec fureur.
Soudain, d'une formidable torsion de reins, il se

détourna de la barrière, revint vers le milieu de la
piste. Le jeune garçon faillit perdre l'équilibre, fut
projeté en avant, dut, pour ne pas tomber, s'agrip-
per à l'encolure. Et, sentant le corps puissant sur
lequel il prenait appui se soulever et s'élancer à la
poursuite de Vent de Nuit, il ferma les yeux, la
gorge étranglée par les sanglots, tandis qu'un mot
jaillissait de ses lèvres :

« *Black... Black... Black...* »

Il lâcha les rênes, rouvrit les yeux, reprit d'une
voix qui s'affermissait :

« *Black, je suis Alec Ramsay... Je me souviens!
Mon nom est Alec Ramsay... Oui, je me souviens... je
me souviens, je me souviens!* »

Il n'avait jamais éprouvé de joie aussi profonde.
Enfin, il était libéré de sa nuit! Les souvenirs lui
revenaient en foule, à commencer par celui que lui
avait laissé l'atterrissage brutal en pleine forêt.
Pour la suite, les détails étaient plus flous. Il se
revoyait toutefois tâtonnant dans la nuit, jusqu'au
moment où il avait été attiré par des phares éblouis-
sants. Ensuite, il y avait eu un voyage interminable
en camion, puis le désert. Si ces premières heures
après la catastrophe demeuraient vagues dans sa
mémoire, il savait néanmoins qu'elles avaient eu
pour conclusion son arrivée à une maison entourée
de sapins, la maison de Gordon. Et, de tout cela,

il tirait une certitude absolue : il n'avait jamais franchi le seuil du restaurant où avait eu lieu le hold-up. Il ne pouvait être accusé de complicité!

Ces souvenirs l'assaillaient par vagues, en une succession d'images rapides. Brusquement, reprenant contact avec la réalité, il s'aperçut que l'étalon noir abordait le dernier tournant et que Vent de Nuit ne gardait plus qu'une avance de deux longueurs! Eddie Malone balançait sa cravache, sans frapper son cheval, mais seulement pour le contraindre à garder la même allure.

Alec reprit les rênes en disant :

« Va, Black, va! »

Maintenant, il ne formait qu'un avec sa monture. Black le sentait bien. Pour répondre à l'appel de son cavalier, il s'enleva d'un effort si désespéré que ses sabots arrachèrent le sol et le firent voler autour de lui. Alec était délivré des incertitudes, des doutes qui le torturaient depuis le début de l'épreuve. L'étalon noir, si rebelle aux contraintes, ne luttait plus pour se débarrasser des rênes. Et quel stimulant pour lui d'entendre de nouveau son nom :

« Va, Black, va! »

Allons, tout allait bien maintenant, tout rentrait dans l'ordre. Le bel animal tendait chacun de ses muscles pour le suprême effort. Après le tournant, de ses longues et précises foulées qui faisaient merveille, il rejoignit Vent de Nuit, commença de le remonter.

Alec était assourdi par les rugissements de la foule, comme il l'avait été naguère sur d'autres hippodromes, à Belmont, à Churchill Downs. Devant lui, l'ultime ligne droite. Il luttait avec son cheval, le pressait de tenir bon. Il respirait à peine. Son chapeau s'envola. Eddie Malone luttait lui aussi, comme si cette course était la plus importante de sa carrière. Quelques secondes, Vent de Nuit et l'étalon noir restèrent côte à côte. Puis, très vite, le pur-sang d'Herbert lâcha pied. Malone eut le temps de jeter un regard à Alec. Il ouvrit de grands yeux. Sans chapeau, il le reconnaissait!

Alec poussa une exclamation joyeuse. La course? Dans la poche! Il revoyait les victoires remportées l'année précédente par le pur-sang d'Herbert. Et voilà que Black, *qui n'avait pas couru depuis des années*, battait Vent de Nuit à plate couture! On aurait juré que l'étalon noir allongeait encore ses foulées. Le tonnerre de ses sabots sur la piste imposait silence aux spectateurs. Black... ou la flèche noire! Ce n'était plus un cheval, mais un fantôme, une ombre presque impossible à suivre. Dans les tribunes, plus un mot, plus un cri. Cet hommage muet l'accompagna jusqu'au poteau d'arrivée.

Les tribunes ne se ranimèrent que lorsque Black eut dépassé le poteau. Cependant, il n'y eut pas d'ovation. Il n'y eut que des appels lancés par certaines personnes à des amis :

« Vous avez vu? Nous n'avons pas rêvé au moins? »

Une seule réponse à ces questions : des mouvements de tête affirmatifs. La plupart des spectateurs ne pouvaient détacher leurs regards de l'endroit où, après le poteau, l'étalon noir s'était arrêté.

Finalement, Alec lui fit faire demi-tour et le conduisit vers les tribunes.

CHAPITRE XX

CONCLUSION

L'AIR hébété, Ralph Herbert, à la recherche d'Allen, se frayait un chemin dans la foule. Quand il eut trouvé Allen, il resta un moment sans pouvoir former un mot. Il savait ! Il avait tout compris, lorsque, dans la dernière ligne droite, il avait vu l'étalon noir dépasser Vent de Nuit avec une aisance souveraine. En un éclair, il avait évoqué certain jour où, à Chicago, il avait assisté déjà à une victoire de Black. Quant à l'identité du cavalier, pas le moindre doute...

A la fin, il réussit à balbutier :

« Allen, c'est... c'est Alec Ramsay et Black! »

Allen pensait aux dix juments qu'il venait de gagner :

« Peu m'importent les noms que vous leur donnez, Gordon et vous. Pour moi, il s'agit du Montagnard et de MacGregor. »

Il s'arrêta, scruta le visage décomposé de son interlocuteur et ajouta :

« Nous avons gagné, Ralph. J'espère que vous n'essayez pas de renier vos engagements?

— Mais, Allen, c'est Black! Or, Black et Alec Ramsay sont censés avoir...

— Ce cheval est bien celui dont je vous ai donné par téléphone la description! interrompit Allen d'un ton irrité. Demandez à Hank et à ceux qui étaient avec nous quand nous l'avons capturé dans la montagne. N'est-ce pas, Hank?

— Oui, patron, dit Larom. D'ailleurs, Ralph, regardez ses cicatrices. Croyez-vous que, toutes ces blessures, il aurait pu les recevoir en vivant tranquillement dans un ranch?

— Cependant... je... je suis certain que..., bredouilla Herbert.

— Moi aussi, Ralph », laissa tomber Allen.

Le shérif intervint :

« Il est temps que nous partions, Allen. Il faut que je boucle mon prisonnier. »

Gordon essaya, sans succès, d'arrêter Allen au moment où celui-ci se baissait pour passer sous la barrière :

« Herbert a raison. Vous ne vous rendez pas compte de ce que vous vous apprêtez à faire! »

Allen, de l'autre côté de la barrière, se redressa.

« Si, Gordon, je m'en rends compte. Mac est recherché pour vol. J'ai l'intention de tout mettre en œuvre pour le tirer de ce mauvais pas. »

Et il suivit le shérif qui le précédait sur la piste. Herbert demanda à Gordon avec une expression sceptique :

« Vous croyez vraiment qu'on va l'emprisonner? »

Gordon fit « oui » de la tête.

« Ils ne lisent donc pas les journaux? s'exclama Herbert. Ils ignorent ce qui est arrivé à Black et à Alec Ramsay?

— Il faut croire, murmura Gordon. Vous savez, les gens de Leesburg ne s'intéressent qu'à ce qui se passe dans leur région.

— Ils comprendront bientôt leur erreur...

— Dès que j'aurai pu donner un coup de téléphone! » déclara Gordon.

Et il s'éloigna aussi vite que la foule le lui permettait.

Alec, toujours sur Black, allait et venait devant les tribunes. Il percevait à peine les acclamations frénétiques des spectateurs. Il se répétait son propre nom, pour le plaisir d'en entendre les quatre syllabes. Lui aussi voulait téléphoner... chez lui, aux siens. Plus de deux mois s'étaient écoulés depuis l'accident. « Mes parents et Henry Dailey ont-ils perdu tout espoir à mon sujet? se demandait-il. Qu'est devenu l'avion? Et le pilote, le copilote? L'avion n'a pas dû vraiment s'écraser. C'est ce qui a permis à Black de se retrouver libre sans trop de dommage. Comment est-il venu ici, à des centaines de kilomètres du Wyoming? A-t-il été attiré vers moi par un instinct mystérieux? »

Allen s'approcha :

« Quelle course, Mac! »

Le jeune garçon s'efforça de rester calme :

« Patron, mon nom n'est pas « MacGregor ». Je m'appelle Alec Ramsay. »

Après un coup d'œil au shérif, Allen répondit du ton le plus compréhensif :

« Je sais. On nous l'a déjà dit... »

Alec jugea inutile de se maîtriser plus longtemps.

« Qui vous a dit cela? Moi-même, il n'y a pas plus de deux minutes, je l'ignorais! »

Etonné, Allen demanda :

« Comment, tu ignorais ton propre nom?

— J'ai subi un choc. J'ai perdu la mémoire. J'avais tout oublié, tout! »

Allen se tourna vers le shérif.

« Vous avez entendu, Tom? Il a été longtemps malade. Une sorte de maladie mentale. Pour un bon avocat, voilà un argument précieux!

— Sûrement, approuva le shérif. Un amnésique n'est pas responsable de ses actes. Seulement, il faudra prouver que votre protégé n'était pas mentalement normal quand le hold-up a été commis. »

Alec fut sur le point de protester. Puis il y renonça. A quoi bon? Il serait toujours temps, plus tard, de faire la lumière.

Il mit pied à terre, tendit ses rênes à Larom, donna à Black une caresse, puis demanda au shérif :

« Quand nous arriverons là où vous devez me conduire, pourrai-je téléphoner?

— Bien sûr », répondit le shérif.

Une heure plus tard, à la prison de Preston, après les formalités d'usage (identité, empreintes digitales, etc.), Alec fut autorisé à utiliser le téléphone. Lorsqu'il eut obtenu la communication et reconnu la voix de sa mère, il crut que son cœur allait éclater :

« Maman, maman, non, non, ne dis rien ! Ecoute-moi. Je suis vivant, oui, vivant ! »

Il voulut continuer, mais il n'y avait plus personne au bout du fil. Sa mère avait dû perdre connaissance.

Peu après, il put s'entretenir avec l'un des employés du ranch, un nommé Jinx :

« Oui, Jinx, c'est bien moi. Je suis à Preston, dans l'Arizona. Non, n'allez pas chercher papa. Allez plutôt chercher Henry Dailey. Il se chargera de lui annoncer la nouvelle. Cela vaut mieux. »

Cinq minutes plus tard, quand Alec raccrocha, il vit deux hommes faire irruption dans la pièce. L'un déclara :

« Nous appartenons au *Journal*. Nous avons reçu une communication d'un certain Gordon. Il prétend que le jeune garçon ici présent n'est autre qu'Alec Ramsay. »

Allen et le shérif approuvèrent d'un signe de tête.

« En effet, c'est peut-être son nom, précisa Allen. C'est en tout cas ce qu'il prétend. Néanmoins... »

Le commissaire de police, qui assistait à cette conversation, sursauta :

« Qu'est-ce que c'est que cette histoire ? » demanda-t-il au shérif.

Il se tourna vers Alec.

« Vous n'êtes pas MacGregor, mais Alec Ramsay?

— Oui. J'ai souffert d'amnésie. »

Le commissaire était maintenant rouge de colère. Il dévisagea le shérif.

« Alec Ramsay... Ça ne vous dit rien?

— Maintenant que j'y pense, bredouilla le shérif, je crois me souvenir... il y a deux mois les journaux ont parlé d'Alec Ramsay et...

— Pendant des jours et des jours, hurla le commissaire, ils ont décrit les recherches entreprises pour le retrouver! »

Les journalistes se précipitèrent vers Alec, se firent raconter son histoire dans les moindres détails. Après quoi, l'un d'eux décrocha le téléphone et dit au commissaire :

« Voilà qui va faire de Preston la ville dont on parlera d'un bout à l'autre des Etats-Unis. Dès que la nouvelle sera répandue, les plus grands journaux vous enverront des collaborateurs! »

Allen semblait assez penaud. Le jeune garçon s'approcha de lui.

« Patron, je vous comprends. Vous ne pouviez pas savoir. Voulez-vous me rendre un service? Allez à l'hippodrome et dites à Larom de conduire Black à votre ranch... ou Le Montagnard, si vous y tenez. Il sera mieux là-bas qu'ici

— Entendu, Mac. J'y vais tout de suite. »

Et, assez satisfait de cette diversion, Allen quitta en hâte le commissariat.

Alec, lui aussi, aurait bien voulu s'en aller. Mais il savait que le commissaire ne pouvait le laisser partir sans avoir obtenu les renseignements précis qu'il avait demandés à Salt Lake City. Force lui fut donc de rester au commissariat. Il y subit, au cours de l'après-midi, l'assaut de journalistes toujours plus nombreux. Assis sur une chaise, il répondait à leurs questions, faisait son possible pour satisfaire leur curiosité. Il savait que son vieil ami,

l'entraîneur Henry Dailey, devait arriver par avion.
Mais quand?

Dans la soirée, les journalistes finirent par se
retirer. Le commissaire dit à Alec :

« J'attends toujours les renseignements de Salt
Lake City. Il se peut qu'ils me parviennent cette
nuit. Vous allez dormir sur un lit de camp. »

En effet, le lendemain matin, quand Alec ouvrit
les yeux, le commissaire venait de les recevoir, ces
fameux renseignements. La police de Salt Lake
City annonçait que les empreintes digitales d'Alec
Ramsay ne ressemblaient en aucune façon à celles
du malfaiteur recherché pour le hold-up.

Peu après la porte du commissariat s'ouvrit.
Henry Dailey se dressa sur le seuil. Alec courut à
sa rencontre, se jeta dans ses bras.

« Comment ça va? demanda le vieil entraîneur.

— Mais, Henry, à la perfection! Et papa et
maman?

— Ils sont remis de leur émotion. Ils t'attendent. Mais toi, Alec? A New York, à l'aéroport,
j'ai vu des journalistes. Ils prétendent...

— J'avais perdu la mémoire. Maintenant, je me
souviens absolument de tout.

— Tu as consulté un médecin?

— A quoi bon? Puisque je vous dis, Henry...

— N'importe. Tu vas en consulter un ici et un autre à New York. »

Plusieurs photographes de presse surgirent. Henry Dailey les laissa opérer. Puis il leur dit :

« Cela suffit. Maintenant, nous partons. Soyez assez gentils pour ne pas nous suivre. Alec a besoin de repos. »

Dehors, Henry avait un taxi qui l'attendait. Au moment de monter, Alec aperçut Allen derrière les photographes.

« Patron, cria-t-il, venez avec nous! »

Dans le taxi, il fit les présentations :

« Henry, voilà M. Allen. J'ai travaillé chez lui. Il élève des demi-sang. »

Henry demanda d'un ton sévère :

« Monsieur Allen, vous prétendez, n'est-ce pas, être un expert en chevaux. Et vous n'avez pas reconnu Black?

— N'oubliez pas que je ne m'occupe que de demi-sang », murmura le maître du ranch.

Alec intervint.

« Je vous en prie, Henry. Il ne faut pas être trop exigeant. Au reste, comment M. Allen aurait-il reconnu Black? »

Il ajouta :

« Sans M. Allen, nous ne nous serions jamais retrouvés, Black et moi. Je lui dois beaucoup! »

Henry Dailey changea de ton.

« Je vous prie de m'excuser, Allen. Mais, vous comprenez, cette longue séparation... Nous avions perdu tout espoir. »

Il regarda un instant à l'extérieur, puis, se retournant vers Allen :

« Y a-t-il un bon médecin à Preston? Avant notre départ, je voudrais qu'Alec soit examiné.

— Je vais vous indiquer un très bon médecin, s'empressa de répondre Allen.

— Ensuite, nous partirons pour Leesburg. Il faut que nous prenions des dispositions pour emmener Black avec nous.

— Pourquoi ne resteriez-vous pas quelques jours chez moi? proposa Allen.

— Merci. Mais je sais qu'Alec a hâte de regagner notre ranch et que ses parents l'attendent avec impatience. »

Ce même jour, dans la soirée, ils arrivèrent au ranch d'Allen. Alec conduisit immédiatement Henry au plus vaste des enclos. Black les aperçut, poussa un hennissement et s'approcha de la barrière. Alec le caressa. Il remarqua que les yeux de l'étalon noir demeuraient fixés sur Henry.

« Tu sais, Alec, dit celui-ci, je ne rajeunis pas. Ma vue baisse. Je ne le reconnais pas.

— C'est pourtant bien lui! s'exclama le jeune garçon.

— Si je ne me trompe, il a des cicatrices.

— Oui, quelques-unes. A part cela, il est dans une forme parfaite.

— Comme toi, Alec, si j'en crois le médecin qui t'a examiné à Leesburg. »

Après un silence, le vieil entraîneur ajouta :

« Il paraît que la course a été un spectacle inoubliable. Je regrette de ne pas y avoir assisté. Black a-t-il fait des ennuis à Vent de Nuit?

— Aucun. Je n'en suis pas sûr, mais j'ai l'impression qu'il a perdu son agressivité pendant les deux mois où il a vécu dans la montagne.

— Peut-être, dit Henry. Dans ces conditions, je suppose que tu as l'intention de le faire participer à d'autres courses?

— Nous aurons tout le temps de parler de cela plus tard », répondit Alec.

A ce moment, Allen et Larom sortirent de la maison d'habitation. Allen avait un sourire rayonnant.

« Je viens d'avoir deux communications téléphoniques passionnantes! annonça-t-il. La première émanait de Ralph Herbert. Naturellement, il est

furieux de la défaite de son Vent de Nuit. Mais il
tient parole. La semaine prochaine, il m'envoie ses
dix juments. »

Allen respira à fond, puis poursuivit :

« La seconde était de Gordon. C'était un message
pour toi,... Mac. Gordon veut que tu saches qu'il se
propose de lire dorénavant avec attention chaque
numéro de *Pur-Sang* dès qu'il paraîtra. Il suivra
vos prochains exploits, au... Montagnard et à toi-
même. »

A son tour, Alec ne put s'empêcher de sourire.

« Merci,... *patron* », dit-il.

Il se remit à caresser Black en songeant : « Nos
exploits? Pourquoi, en effet, ne recommencerions-
nous pas à courir? Oui, pourquoi pas? »

TABLE

IMPRIMÉ EN FRANCE PAR BRODARD ET TAUPIN
7, bd Romain-Rolland - Montrouge.
Usine de La Flèche, le 22-09-1977.
6694-5 - Dépôt légal n° 4746, 3e trimestre 1977.
20 - 01 - 3402 - 07   ISBN : 2 - 01 - 001228 - 3

Vous avez aimé ce livre
voici le moment d'en choisir un autre*

Bibliothèque Verte

(extrait du catalogue)

* Certains des livres figurant à ce catalogue peuvent être momentanément épuisés.